地道 家常川菜

火花石

著

本味

中国轻工业出版社

图书在版编目（CIP）数据

本味：地道家常川菜 / 火花石著.—北京：中国轻工业出
版社，2016.6
ISBN 978-7-5184-0743-9

Ⅰ.① 本… Ⅱ.① 火… Ⅲ.① 家常菜肴－川菜－菜
谱 Ⅳ.① TS972.182.71

中国版本图书馆CIP数据核字（2016）第001324号

责任编辑：高惠京　　责任终审：劳国强　　封面设计：王超男
版式设计：王超男　　责任校对：吴大鹏　　责任监印：马金路

出版发行：中国轻工业出版社（北京东长安街6号，邮编：100740）
印　　刷：北京博海升彩色印刷有限公司
经　　销：各地新华书店
版　　次：2016年6月第1版第2次印刷
开　　本：720×1000　1/16　印张：11
字　　数：200千字
书　　号：ISBN 978-7-5184-0743-9　定价：32.80元
邮购电话：010-65241695　传真：65128352
发行电话：010-85119835　85119793　传真：85113293
网　　址：http://www.chlip.com.cn
Email：club@chlip.com.cn
如发现图书残缺请直接与我社邮购联系调换
160453S1C102ZBW

川菜生活

清晨，窗外飘着贵如油的春雨，淅淅沥沥的雨声将火哥从睡梦中唤醒，洗漱完毕后习惯性地走进厨房将烧水壶接满水，放在炉子上并打着火，茶杯洗洗换上前几天从蒙顶山采回的明前甘露，站在二楼窗户边的火哥就等着水壶传出呜呜声了！

楼下两个邻居在楼门口处相遇了。"李孃，你今天这么早就把菜都买回来了啊，又是排骨又是鸡的，是不是今天孙娃子要回来嚼你哦？呵呵……""就是嘛，昨天晚上我们家那个老三就打电话给我安排咯，说是孙娃子好想好想好想吃奶奶烧的排骨和拌鸡！这两口子一天到晚就晓得打着孙娃子的招牌，周末回来骗吃骗喝。莫法，哪个喊我命苦喃！哈哈哈……""我们两个都差不多哦，我们家那个老幺电话中说的是请我和他爸今天到她新房子那边吃中午饭，但给我安排了一大堆东西要带过去——泡菜、猪肉臊子、家里的香肠腊肉。你看嘛，我这就是准备去市场买肉炒臊子。李孃，我先走了""要得！我也上楼了，王孃慢走哦。"

咚咚咚……铸铁槌在舂米粉时（也可能是舂辣椒粉）所发出特有的、伴着节奏的敲击声穿破楼板由上而下传来，楼上那位不知名的大姐又开始了一天的美食功课。那敲击声对于神经衰弱的人可能是致命的噪音，但对于懂得美食、喜爱美食的人来说就是天籁之音！因为这声音预示着一碗传统的、香透心扉的粉蒸肉将在不久后出笼，或是一缸为了一份凉拌白肉而特意准备的又红又辣又香的熟油辣椒……

"老爸早上好，你在厨房想啥啊？今天你又要给我们做啥好吃的啊？我好想吃你做的泡鸡爪和红油兔丁！"豆花妹妹的声音从我身后传来，"好！那就吃泡凤爪和兔丁嘛。"于是火哥换鞋出门，打着伞走在去往菜市场的路上，开始准备火哥家里今天的味道！

· 猪肉贩分割猪肉

· 卖黄豆

· 精挑细选

· 烧腊铺

4

· 萝卜缨

· 早市

·卖核桃的小贩

·辣椒红了

·猪肉贩

·萝卜干

·公平交易

·鱼贩砍鱼

·鱼摊

·菜市场

5

目　　录

CONTENTS

39 烂肉炒大头菜　　40 红汤香菜圆子　　41 黄瓜圆子汤　　42 萝卜连锅汤

44 香酥山药丸子　　46 烂肉豇豆　　47 火腿烧豆瓣　　| 如何剁排骨 48 |

48 蒜香排骨　　50 糖醋排骨　　52 苦荞蒸排骨　　53 春笋蚝油排骨

54 麻辣粉蒸排骨　　55 干烧张飞排骨　　56 小资排骨汤　　57 玉米山药龙骨汤

58 萝卜龙骨汤　　| 如何加工猪蹄 59 |　　59 豆瓣拌蹄花　　60 双椒拌蹄花

62 麻辣凉粉拌蹄花　　63 黄豆山药炖蹄花　　| 如何清洗肥肠 64 |　　66 大蒜烧肥肠

67 肥肠豆汤　　68 家常泡菜猪肝　　69 酱香猪肝　　70 怪味肚丝

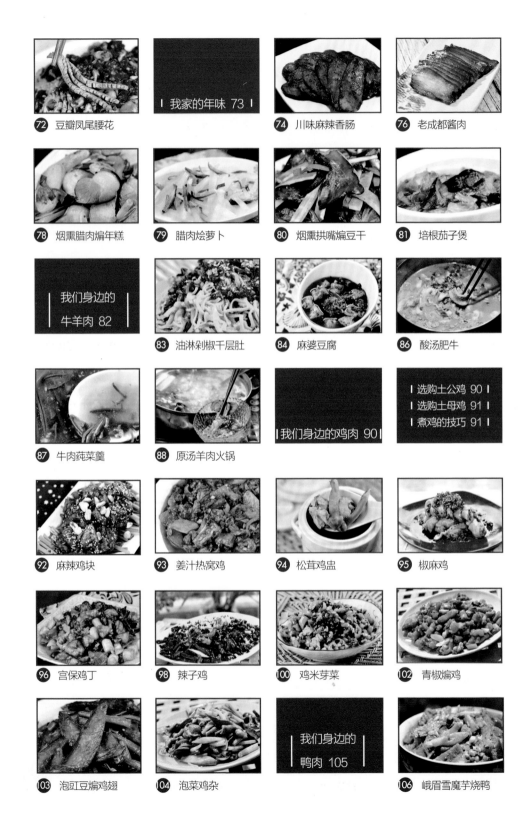

8

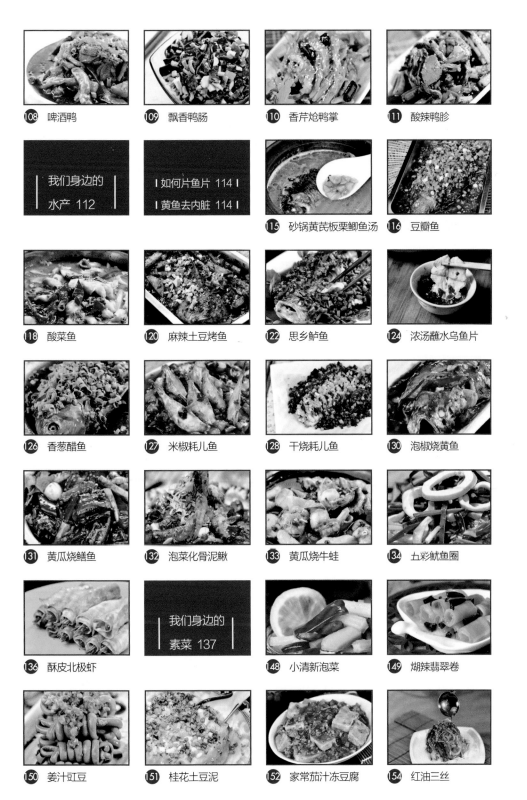

155 干煸四季豆　　156 鱼香茄子　　158 鱼香油菜薹　　160 葱油蘑菇

161 凉拌折耳根　　162 双味蒜薹拌木耳　　163 麻辣烟笋　　164 金沙玉米

166 酸菜炒魔芋

菜品制作：张鹏

菜品顾问：舒国重

摄　　影：张鹏

摄影顾问：吕海

摄影助理：徐艳、罗俊茹

第 一 章

厨房里的
秘密

炒锅

| 从外形上炒锅大致可分双耳和单把；从材质分有生铁炒锅、熟铁炒锅、不锈钢炒锅、铝炒锅、铜炒锅等。一般家庭买40厘米左右单把熟铁轻质炒锅即可。

蒸锅

| 家庭购买蒸锅时，建议，买30厘米左右不锈钢材质、稍微大点并且层数多一点的，这样做清蒸鱼这类菜品才能很从容。

烧菜锅

| 家庭只有一口烧菜锅是肯定不够的，建议准备22厘米、24厘米、26厘米不锈钢材质复合底烧菜锅各一。

砂锅

| 砂锅有广式砂锅、四川砂锅等。火哥建议你也买一个口径在24厘米左右的荥经黑砂锅，吃过这锅炖出的汤你才知道和使用不锈钢锅炖汤的区别。

高压锅

| 现在高压锅出了"电子版"，使用上确实安全和方便了许多，所以家庭还是有必要购买一台的，蒸粉蒸牛肉那真是事半功倍啊。

饭碗

| 饭碗的品种、形状、材质太多，普通家庭消毒柜中十几个饭碗是必须要准备的。

汤碗

| 汤碗分大号、中号、小号，大号需装下一只清炖整鸡材质和价格自便。

面碗

| 喜欢吃面的家庭怎能缺少面碗？人多应急时还可以盛装烧菜，真是用途广泛啊。

盘子

| 在餐具中盘子形状应该算最多的，家庭中方盘、圆盘、窝盘、长盘各准备几个就够了。

筷子

| 我家一直喜欢使用普通尖头竹筷，不定期将筷子用开水煮沸消毒是必须的。

汤勺

| 汤勺分大小，虽不常用但没有还是很不方便，我的大汤勺和锅铲混用，小汤勺和饭勺混用，火哥是个实用主义者。

漏勺

| 漏勺分粗漏和密漏，粗漏用于舀饺子等，密漏的功能主要是过滤，建议各买一个。

菜板

| 最好的菜板是原木切割的，其中又以皂角木菜板最佳。买回家使用前可以用浓盐水或植物油浸泡几大，这样菜板不易裂口。每次使用后一定要竖起来通风处放置。

刀具

| 家庭厨房刀具分切刀、砍刀、小刀、削皮刀、剪刀等。这个依据自己喜好购买，并不是越贵越好哦！

调料罐

| 家里那么多调辅料必须各自都有一个适当的归宿，各种规格的调味瓶、调料罐是不可或缺的。

洗菜盆

| 菜买回来是肯定要洗净的，洗菜盆适当大点，笊箕等用具适当多几个是可以的。

调出我家的味道

盐

| 盐分井盐、海盐、矿物盐等，烹调川菜主要以井盐为主。不同的盐有不同的咸度，烹调时请大家尤为注意。

糖

| 糖分为白糖、红糖、冰糖、饴糖等，川菜大多数菜品使用白糖或冰糖调味。选择白糖时以甘蔗白糖为佳。

酱油

| 四川酱油不同于生抽或老抽，想做正宗川菜必须用酱油而不是生抽、老抽混用。选酱油时以纯粮酿造酱油为佳。

醋

| 醋分老醋、白醋、红醋、果醋等，不同的醋有不同的使用方法，川菜常用为老醋，选购时以纯粮酿造醋为佳，同时注意酸度值，不同的醋有不同的酸度。

郫县豆瓣酱

| 郫县豆瓣酱被誉为"川菜之魂"，选购时以颜色红润油亮、咸度适中、香味醇厚、不煳锅者为佳。

家常豆瓣酱

| 家常豆瓣酱为四川家庭自制的豆瓣酱，分晒豆瓣酱和阴豆瓣酱等，由于各家制作工艺和用料的不同口味有很大差别。以颜色红亮、香味浓郁、咸度适中为佳。

豆豉

| 四川豆豉分为黑豆豉、家常豆豉、水豆豉、红苕坨坨豆豉等，常用为黑豆豉，以黑褐色、发酵充分、咸度适中、湿度适中、香味醇正为佳。

甜面酱

| 四川甜面酱又叫甜酱，是以面粉为主要原料，经发酵而成的调味品。选购甜酱应以红褐色、盐度适中、干稀适度、味正无杂质为佳。

豆腐乳

| 四川豆腐乳分红豆腐乳和白豆腐乳。选购时以口感细腻、咸度适中、鲜香回甜为佳。

芝麻酱

| 芝麻酱分黑芝麻酱和白芝麻酱两种，常用为白芝麻酱。选购时以颜色纯正、香味自然、无杂质、无结块为佳。

料酒

| 料酒是调料用酒的统称，常用有黄酒、白酒、米酒、葡萄酒等。不同的料酒有不同的酒精度和风味。不同菜品使用不同料酒调味，成菜口味区别较大。

辣椒油

| 辣椒油又叫海椒油、红油、熟油辣子，是辣椒粉加其他调辅料用高油温调配出的川菜特殊调味品，不同的辣椒粉、不同的调辅料、不同的油、不同的油温甚至同样的材料不同的人制作出的辣椒油都会有很大区别。

干辣椒

| 干辣椒是鲜辣椒的干制品，川菜常用：二荆条干辣椒、小米辣干辣椒、大红袍干辣椒、子弹头干辣椒等，以色泽红润、无杂质、无霉变、质干者为佳。

辣椒粉

| 辣椒粉是干辣椒经过炒制或烘干后制成的。选购时，根据自己对辣度的喜好购买。以颜色纯正、粗细均匀、无杂质、无霉变、无结块、香味纯正为佳。

5

醪糟

| 醪糟又叫酒酿或甜酒，选购时以乳白色、香味醇厚、甜中略带酸味为佳。

花椒

| 花椒在川菜中享有不可替代的地位，以颗粒均匀饱满、颜色油润、无杂质、无霉变、香味持久浓郁为佳。

花椒粉

| 花椒粉是花椒经炒制后打磨而成，选购或制作时一次不宜过多，以一个月内用完效果最佳。

青花椒

| 青花椒分鲜青花椒和干青花椒两种。青花椒和红花椒口味区别较大，青花椒是麻中带清香。选购时以颗粒饱满、无杂质、无异味为佳。

胡椒粉

| 胡椒粉分黑胡椒粉和白胡椒粉两种，川菜常用为白胡椒粉。白胡椒粉以颜色纯正、无杂质、无异味、无结块、无霉变为佳。

八角

| 八角又叫大料或大茴香，以棕褐色、质干、味浓为佳。

山奈

| 山奈又名沙姜或山辣，以质干、色白、味浓为佳。

草果

| 草果又叫草豆蔻或草果子，以质干、个大、均匀饱满为佳。

小茴香

| 小茴香又叫茴香或怀香，以颜色纯正、颗粒饱满、无杂质、味浓为佳。

桂皮

| 桂皮又叫阴香或肉桂皮，以色正、皮厚、无泥沙、味纯为佳。

香叶

| 香叶又叫月桂叶，以灰绿色、无霉斑、叶形完整、味浓为佳。

砂仁

| 砂仁又叫阳春砂或绿壳砂，以颗粒饱满、无霉变、味纯为佳。

白蔻

| 白蔻又叫白豆蔻，以颗粒饱满，无结晶、无霉、味浓为佳。

五香粉

| 五香粉并不只是五种香料组合打粉而成，主要由：花椒、桂皮、八角、胡椒、小茴香、砂仁、豆蔻、丁香等多种香料组成，各家根据自己习惯和经验配方大不相同。

孜然粉

| 孜然又叫安息香或安息茴香，孜然粉是孜然经打磨而成。以黄绿色、无结块、无异味为佳。

泡姜

| 泡姜又叫泡子姜，为川菜特殊调味料。需在夏季子姜上市时洗净后用泡菜坛泡制。选购时以色正、无防腐剂、无腐败、无杂质、无异味、咸度适中为佳。

泡辣椒

| 泡辣椒，为川菜特殊调料。有二荆条泡辣椒、大红袍泡辣椒、牛角椒泡辣椒等。选购时以颜色红亮、无防腐剂、无色素、肉质肥厚、无腐败、咸度适中、无异味为佳。

泡青菜

| 泡青菜又叫泡酸菜或酸菜，需在冬春季节青菜（即芥菜）上市时洗净后用泡菜坛泡制。购买时以色泽棕黄、无防腐剂、无色素、无腐败、无泥沙、咸度适中、酸味纯正为佳。

泡萝卜

| 泡萝卜，需在冬季青萝卜或红皮萝卜上市时洗净后用泡菜坛泡制。购买时以颜色纯正、无防腐剂、无色素、无腐败、咸度适中、酸味正常为佳。

芽菜

| 芽菜又叫金芽菜，是冬季青菜（芥菜）洗净拉丝晾晒后拌入盐、红糖、香料后装坛密封腌制而成。以宜宾芽菜最为出名。

姜

| 姜又叫老姜或黄姜。川菜常用小黄姜。购买时以形状规则、无损伤、无腐败、无黑心、姜味浓郁为佳。

葱

| 川菜用葱主要有大葱、小葱、洋葱、野葱等，选购时以新鲜、色正、味浓、形状完整为佳。

蒜

| 川菜用蒜分独头蒜和瓣蒜。选购时以蒜瓣洁白饱满、无发芽、无腐烂为佳。

味精

| 川菜中使用味精按形状分为颗粒味精、粉精，颗粒味精主要用于热菜，粉精主要用于凉拌菜。购买时注意味精纯度，味精不耐高温，热菜使用一定要起锅前添加。

鸡精

| 鸡精是含有鸡肉成分的新一代增鲜、增香调味品，适合大多数川菜使用。但烹制菜品中不宜加多。

淀粉

| 淀粉分为豌豆淀粉、红薯淀粉、玉米淀粉、土豆淀粉等，选购时以颜色纯正、无杂质、无异味、无结块、质地细腻为佳。

大米

| 买哪种口味和档次的大米绝对是你的自由，但有一点火哥必须提醒你：散装大米或非真空包装的大米购买时需注意生产日期。

面粉

| 四川方言把面粉叫灰面，天然的面粉绝不可能是纯白色，由此判断颜色太白的面粉都不正常。如果你不是烘焙爱好者，家里准备点普通面粉就行了。

植物油

| 川菜常用的植物油为菜籽油，当然家里也可以准备芝麻油、玉米油、花生油等其他植物油类。

动物油

| 川菜常用的动物油为猪油、鸡油、牛油等，好的动物油都是买原材料后自家熬制的，外面卖的大多信不过。

第 二 章

解馋的
川菜

我们身边的猪肉

合格

乳猪

大肥猪都是从乳猪一天天长大的。

经典菜式：炭火烤乳猪、风干乳猪等。

猪头

猪头包括猪嘴、猪脸、猪舌、猪耳朵、猪天堂、猪脑花等。

经典菜式：凉拌猪头肉、红油耳片、腌口条、卤拱嘴等。

猪前腿肉

前腿肉又叫前夹肉，此部位的肉肥瘦均匀是猪全身肉质相对细腻之处。

经典菜式：圆子汤、麻辣香肠、肉臊子、香烤梅花肉等。

猪后腿肉

后腿肉又叫腿子肉，此部位肉肥瘦分明是众多四川名菜用猪肉首选的部位。

经典菜式：鱼香肉丝、水煮肉片、回锅肉、连锅汤等。

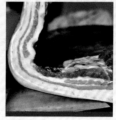

五花肉

五花肉在全国叫法一致、人们喜爱程度也一致。

经典菜式：芽菜咸烧白、冬菜扣肉、红烧肉、四川酱肉等。

猪里脊肉

猪背部左右各一条，猪全身最瘦的肉。

经典菜式：青椒肉丝、糊辣肉丁、糖醋里脊等。

猪腰柳肉

猪身上最嫩、最细腻的两条肉。

经典菜式：宫保肉丁、蒸肉糜、鱼香小滑肉等。

猪肘子

俗话说"前蹄后肘"，这个就是猪的后肘。

经典菜式：东坡肘子、冰糖肘子、青蒿炖肘子等。

猪蹄

带筋新鲜猪前蹄肯定是行家的选择。

经典菜式：雪豆蹄花汤、黄豆烧猪蹄、蹄花鸡等。

猪尾巴

俗称"甩不累"，此图是四头猪的尾巴啊。

经典菜式：川卤猪尾、干锅猪尾、泡猪尾巴等。

排骨

这个部位的肉绝对是大多数人的最爱啊！

经典菜式：糖醋排骨、卤排骨、土豆烧排骨、粉蒸排骨等。

龙骨

龙骨又叫脊骨、腔骨，价格比排骨便宜很多，炖汤比排骨更香。

经典菜式：龙骨汤、卤龙骨、酱龙骨等。

棒子骨

为炖骨头汤第一选择，炖好的棒子骨中那香浓的骨髓是一吸难忘啊。

经典菜式：上汤一把骨、大骨浓汤等。

剔骨肉

因是从棒子骨关节上剔下而得名，原为平民肉食，现已成为"肉中精华"。

经典菜式：凉拌剔骨肉、红烧剔骨肉等。

猪月牙骨

此物长于猪前腿连接部位，一头猪只有这么小小两块。

经典菜式：孜香烤月牙骨、青椒爆脆骨等。

猪板油

猪腹内左右各一片。若不加此物，素椒杂酱面滋味锐减。

经典菜式：白糖油渣、香猪油、汤圆馅料等。

猪内脏

从右至左依次是：猪小肠、猪肥肠、猪连贴、猪心肺、猪肚。猪小肠一般不直接食用而是做成肠衣灌香肠；猪肥肠那是我的最爱；猪连贴一般很少有人吃；猪肺炖汤是好东西，就是洗起来麻烦。

经典菜式：红烧肥肠、干煸肥肠、绿豆仔肺汤等。

心俐肚

猪心、猪舌（即猪俐）、猪肚这三样搭配在一起烹调就是绝配。

经典菜式：海味烧什锦、大蒜肚条、凉拌心俐肚等。

猪肝

食用后虽然有补血功效，但却不宜多吃，胆固醇含量太高。

经典菜式：白油肝片、鱼香肝片、肝膏汤、熘肝尖等。

猪腰

近几年，菜市场的猪腰不再是论斤卖而是论个数卖了，金贵啊金贵！

经典菜式：火爆腰花、糊辣腰块、炝锅腰片、肝腰合炒等。

猪肉这样切

肉块

4厘米×2厘米×2厘米

经典菜式：红烧肉

肉丁

1.5厘米×1.5厘米×1.5厘米

经典菜式：宫保肉丁

肉片

4厘米×3厘米×0.2厘米

经典菜式：水煮肉片

肉丝

10厘米×0.3厘米×0.3厘米

经典菜式：鱼香肉丝

肉粒

0.3厘米×0.3厘米×0.3厘米

经典菜式：烂肉豇豆

肉蓉

泥状

经典菜式：圆子汤

米椒糖醋肉皮

猪皮是比较便宜的肉类食材，但便宜的食材也同样营养美味，猪皮富含的胶原蛋白具有延缓皮肤衰老的功效。这道米椒糖醋肉皮口感筋道，咀嚼时颌骨必然带动整个面部运动，相当于面部做了一次全方位的美容操，大家在家试试制作这道简单有效的美容菜吧。

| 小秘密 |

1 新鲜猪肉皮最好是买厚点的，经去毛、洗净后煮1小时左右，摊平晾凉即可。
2 将肉皮直接切丝、切块也行。
3 小米辣可依据自己对辣度的喜好添加，若不喜欢吃辣也可将小米辣换成甜椒。

变变变
米椒糖醋耳片
米椒糖醋青笋丝
米椒糖醋鸭舌
米椒糖醋肉片
米椒糖醋鸡丝

| 主 料 |

猪皮150克，青笋100克。

| 调辅料 |

小米辣15克，香醋20克，酱油5克，白糖20克，芝麻油5克，盐2克。

制作过程

1 煮熟的猪皮、青笋和小米辣。

2 青笋切丝，猪皮晾凉后斜刀片成薄片。

3 加入切好的小米椒。

4 再加入香醋、酱油、白糖、芝麻油、盐拌匀即可。

蒜泥白肉

川菜中的凉拌菜系列味型特别丰富！凉拌白肉、红油兔丁、凉拌鸡块、夫妻肺片、红油耳片、香菜萝卜丝……真是数不胜数。只要严格按照书中火哥的做法制作各类川菜凉菜，且在制作过程中多实操、多总结，保证你也能成为制作川味凉菜高手。

川味凉菜蒜泥白肉有两种做法：热拌和凉拌。对于刚接触川菜制作，就先介绍一下相对简单的凉拌蒜泥白肉吧。

| 主 料 |
猪二刀肉300克。

| 煮肉料 |
老姜5克，花椒少许，料酒10克。

| 调辅料 |
大葱段50克，蒜泥30克，酱油10克，川盐2克，白糖20克，味精2克，汉源花椒粉少许，鲜汤适量，辣椒油50克。

制作过程

1 二刀肉一块。

2 肉洗净放入冷水锅，中火加盖煮约20分钟熟后捞出，汤中加老姜、花椒、料酒。

3 凉透后的肉切成薄片装盘，大葱段放在肉片下作为垫底。

4 调味碗中加入剁细的蒜泥和酱油。

5 加入川盐、白糖、味精。

6 加入汉源花椒粉。

7 加入鲜汤调匀后将调料淋在白肉上。

8 最后淋入辣椒油就好了。

┃ 小秘密 ┃

1 二刀肉是猪后腿肉中的一部分（左右各一块），因四川肉贩分割猪腿肉时习惯第二刀整体割下这块肉而得名。

2 做这道菜一定要选用带皮的猪肉，去皮猪肉做出来不好看也不好吃。

3 如果肉块较大、较宽，需延长煮制时间。

4 我家如果吃这道蒜泥白肉，一般还会搭配馒头或锅盔类的面食，把蒜泥白肉夹在热馒头中。一口咬下去，那滋味用四川话说叫"味道不摆了"。

5 若不喜欢吃特辣，可将辣椒油换成芝麻油变成芝麻油蒜泥白肉。

变变变

蒜泥肘子
蒜泥鸡翅
蒜泥五花肉
蒜泥耳片
蒜泥腰片

香椿耳片

川菜食谱中，有很多大菜和名菜对于食材的选用是相当考究的。以前很多食材过了相应的季节就会下市。现在，随着经济和农业科技的发展，冬天也能吃到西红柿、辣椒、茄子、豇豆、子姜等反季菜。当我们花了高价（反季节蔬菜肯定价格高，要不菜农谁会愿意花这个心思吃这份苦啊！哈哈）精心烹调，菜品端上餐桌后再细细品味时，会发现西红柿怎么这么硬？辣椒吃起来怎么像四季豆？茄子皮怎么那么厚……还想吃吗？还会吃吗？还吃得下去吗？所以，火哥建议您还是按照季节选材享用美食吧！就像这道香椿耳片，可是作为标准吃货在春季必须品尝的美味哦！

| 主 料 |
熟猪耳朵1个（约200克），香椿芽20克。

| 调辅料 |
鲜汤少许，酱油5克，盐3克，白糖5克，味精2克，辣椒油适量。

变变变

红油韭香耳片

红油葱花耳片

红油鸡块

红油肚片

红油牛肉

16

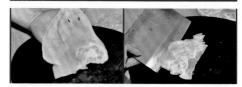

1 煮熟并压平的猪耳朵1个。　　2 猪耳朵均匀片成薄片。

3 将片好的耳片摆盘。　　4 香椿芽洗净后用刀剁细，加入滚烫的鲜汤烫熟。

5 加入酱油。　　6 加入盐、白糖、味精后拌匀。

7 将对好的调味汁浇在耳片上。　　8 最后淋上辣椒油即可。

| 小秘密 |
1 生猪耳朵煮制时不可太久，否则猪耳朵会变得太软而影响成菜口感。
2 香椿芽必须烫熟后食用。
3 没有香椿芽的季节可以将食材换成韭菜、葱花、芹菜花等其他芳香类食材。

鱼香肉丝

鱼香味是川菜特有的味型之一，代表菜肴有鱼香肉丝、鱼香茄子等，其中鱼香肉丝为荤、鱼香茄子为素。多年前，曾有报道说有外地客人来四川在餐馆点了鱼香肉丝这道菜，等菜品上桌后找饭店老板理论，说鱼香肉丝中没有鱼，老板用猪肉丝代替鱼香肉丝是欺骗消费者。一时此新闻成为川人之笑谈，殊不知吃鱼不见鱼才是鱼香味型的妙处！

┃ 主 料 ┃

猪肉200克，青笋50克，水发玉兰50克，水发小木耳20克。

┃ 码味料 ┃

酱油5克，料酒10克，淀粉5克。

┃ 碗芡料 ┃

盐1克，白糖20克，醋20克，味精1克，胡椒粉1克，水淀粉10克。

┃ 调辅料 ┃

菜籽油适量，家常豆瓣酱15克，泡辣椒10克，泡姜10克，蒜瓣15克，葱花10克。

制作过程

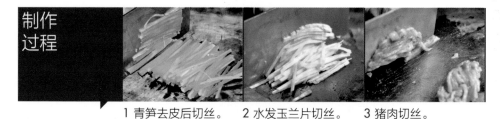

1 青笋去皮后切丝。　2 水发玉兰片切丝。　3 猪肉切丝。

4 猪肉丝中加入酱油、料酒、淀粉。

5 猪肉丝加入调料后拌匀并码味10分钟。

6 泡辣椒、泡姜、蒜瓣一同剁细。

7 准备碗芡：盐、白糖、醋、味精、胡椒粉、水淀粉调匀。

8 菜籽油下锅大火烧至六成热时下家常豆瓣酱炒香、出色。

9 下入泡辣椒、泡姜、蒜瓣炒香、出色。

10 下入猪肉丝。

11 猪肉丝下锅后快速炒匀至七成熟。

12 下入青笋丝、水发玉兰丝、水发小木耳。

13 快速翻炒均匀。

14 打碗芡收汁。

15 下入葱花，炒匀即可。

┃ 小秘密 ┃

1 猪肉丝下锅前一定要再次拌匀，炒好的猪肉丝应上浆均匀，不能有水分析出。

2 步骤8和步骤9一定要将调料炒香、出色。

3 青笋丝、水发玉兰丝、水发小木耳下锅后不宜炒太久，炒至断生即可进行下一步操作。

4 碗芡下锅前一定要搅匀并一次快速均匀下锅。

5 全程大火炒制。

变变变

鱼香鸡丝

鱼香滑肉

鱼香肘子

鱼香脆骨

鱼香大排

水煮肉片

我家豆花妹妹（火哥女儿的小名）最近对我态度不是很好，细想后我自己得出了答案：因工作太忙我都好几天没有回家做饭了。为了缓和关系我只有用美食诱惑拉拢一下她了。既然要做当然要做她最喜欢的川菜重口味，这道水煮肉片就是最佳选择！

| 主　料 |

猪里脊肉200克，青笋尖100克，芹菜100克，青蒜100克。

| 码味料 |

淀粉10克，酱油8克，料酒5克。

| 调辅料 |

菜籽油适量，盐3克，郫县豆瓣酱30克，老姜粒20克，大蒜末50克，水淀粉50克，花椒粉少许，辣椒粉30克，鲜汤适量。

制作过程

1 猪里脊肉切片后用码味料码味。

2 码味后的肉片拌匀静置5分钟。

3 青笋尖、芹菜、青蒜切段。

  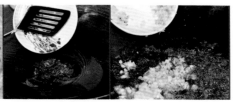

4 锅内下少许菜籽油五成热时，加入上面那三样素菜加盐后炒至断生。

5 炒好后的素菜装盘垫底。

6 锅内再次放油烧至六成热，加入豆瓣酱炒香。

7 锅中放入老姜粒和大蒜末炒香。

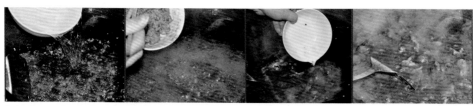

8 加鲜汤烧至滚开。

9 将码味后的肉片再次拌匀后逐一放入滚开的红汤中。

10 加入水淀粉收汁勾芡。

11 轻推搅匀。

12 煮好的肉片放入先前炒好装盘的素菜上。

13 加入花椒粉。

14 加入辣椒粉。

15 加入大蒜末。

16 炒锅洗净后再次下适量菜籽油，烧至七成热后缓缓淋入菜品中即可。

变变变

水煮牛肉
水煮肺片
水煮鸡肉
水煮圆子
水煮鸡杂

| 小秘密 |

1 切猪肉片时厚薄一定要均匀，这样才能保证肉片成熟时间一致、口感好。
2 垫底素菜不能炒得太熟，炒至断生即可。
3 最后淋滚油的步骤要小心，以免烫伤。
4 盛装水煮肉片的餐具容量一定要大并耐高温。
5 此菜全程大火炒制。

变变变

青椒盐煎肉
韭菜盐煎肉
蒜薹盐煎肉
盐煎鸡肉
盐煎肥牛

制作过程

1 将猪去皮二刀肉切成肥瘦相连的薄片。　2 青蒜改刀切成马耳朵形。

3 锅内下少许菜籽油烧至五成热，加入切好的肉片快速炒散。　4 加料酒后大火爆炒至肉片吐油、出香。

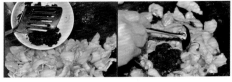

5 爆香后的肉片加入豆豉继续翻炒出豆豉香。　6 再加入郫县豆瓣酱。

7 加入豆瓣酱后翻炒至出香、上色后，加入白糖、盐。　8 加入蒜苗段炒至断生关火，加味精后炒匀即可起锅装盘。

22

盐煎肉

　　很多人不了解这道川菜，听到盐煎这个菜名以为是用盐煎炒出来的一道菜，其实在这道菜的加工过程中是不加盐的，就像鱼香肉丝里没有鱼是一样的。加了郫县豆瓣酱和豆豉这两种调味料，自然成菜就咸鲜适口了！

　　盐煎肉作为四川名菜是当之无愧的，色泽红亮、香味浓郁、肥而不腻、回味适口，属川菜家常味型。

┃ 主　料 ┃
猪去皮二刀肉250克，青蒜150克。

┃ 调辅料 ┃
菜籽油少许，料酒10克，豆豉5克，郫县豆瓣酱30克，白糖1克，盐2克，味精1克。

┃ 小秘密 ┃
1 猪去皮二刀肉是做这道菜的上佳选择，其次可选用猪里脊肉或去皮五花肉。
2 选用豆瓣酱和豆豉品牌不同，成菜咸度区别也较大，最后加盐需根据情况调整。
3 此菜秋冬季用青蒜搭配，夏季建议用青椒或甜椒搭配。
4 此菜需全程大火炒制。

家常黄瓜肉丁

家常味是川菜独有味型，说到家常味就少不了豆瓣酱、姜、蒜、菜籽油，简单的几种调辅料经川人巧手烹制后菜品即刻呈现出诱人的色泽，咸鲜微辣的口感也在筷子的帮助下于味蕾绽放。

变变变
青笋肉丁
萝卜肉丁
子姜肉丁
黄瓜鸡丁
黄瓜鱼丁

制作过程

1 猪里脊肉切成肉丁。

2 肉丁加入淀粉、酱油、料酒拌匀后码味10分钟。

3 黄瓜、甜椒切丁。

4 锅内下菜籽油五成热时，下入郫县豆瓣炒香。

5 再加入姜片、葱段、蒜片炒香。

6 将码味后的肉丁下锅。

7 肉丁下锅后迅速炒散至断生，下入黄瓜和甜椒合炒。

8 快速翻炒同时加盐、味精调味，炒匀即可起锅。

23

| 主 料 |

猪里脊肉200克，黄瓜200克，甜椒30克。

| 码味料 |

淀粉10克，酱油8克，料酒5克。

| 调辅料 |

菜籽油适量，郫县豆瓣酱30克，姜片3克，葱段5克，蒜片5克，味精1克。

| 小秘密 |

1 黄瓜需去皮、去瓤。
2 甜椒可用泡辣椒代替，作为添色配菜可多可少。
3 肉丁下锅前需要再次拌匀。
4 黄瓜下锅后不宜炒太久，炒久了会吐水不好看也不好吃。
5 此菜全程大火炒制。

回锅肉

四川人对回锅肉的热爱无需多说，这一点从那大大小小川菜馆的菜谱就能说明！没有回锅肉的还叫川菜馆吗？

| 主 料 |

带皮猪后腿肉300克，青蒜150克。

| 煮肉料 |

老姜5克，花椒少许，料酒10克。

| 调辅料 |

菜籽油适量，郫县老豆瓣酱20克，豆豉5克，四川甜面酱5克，味精1克。

制作过程

 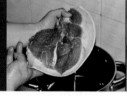 

1 带皮猪后腿肉一块。　2 猪腿肉冷水下锅煮。　3 同时加入煮肉料：老姜、花椒、料酒。

4 水开后，撇去浮沫再煮15分钟左右至猪肉七八成熟，将肉捞出晾凉。这时的猪肉瘦肉部分应该微微发红，如果发白就说明已经全熟，煮了。

5 将晾凉后的猪肉切片。

6 青蒜切成马耳朵形。

7 正宗四川回锅肉必须使用四川郫县老豆瓣酱，并剁细后炒制。

8 锅内加少许菜籽油，加热至五成热下入切好的肉片。

9 肉片下锅后，以中火慢慢煸炒至肉片出油并卷曲（俗称灯盏窝）。

10 这时下入剁细的郫县老豆瓣酱。

11 豆瓣下锅后，注意快速炒散让豆瓣和每一片肉片亲密接触。

12 加入豆豉。

13 再加一点点甜面酱。

14 继续煸炒至香气四溢。

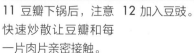

24

变变变
青蒜回锅鸡
青蒜回锅排骨
青蒜回锅牛肉
青蒜回锅猪头肉
青蒜回锅肘子

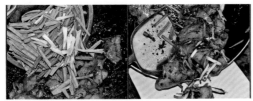

15 最后加入切好的青蒜炒至断生即可，加少许味精。

16 超香、超好吃的回锅肉装盘了。

┃ 小秘密 ┃

1 猪肉最好选肥瘦比例为3：7的猪腿肉或五花肉，肥瘦肉需完美相连，煮后切片肥瘦不分开是最基本的要求。这里用的是猪腿头刀肉，也叫猪坐墩肉或垫尖肉。

2 煮肉汤可以用来煮萝卜、白菜、冬瓜等素菜。

3 煮熟的猪肉需晾凉后切片，且保证切出的猪肉片厚薄均匀。

4 郫县豆瓣酱需剁细。

5 因郫县豆瓣酱、豆豉、甜面酱都有咸味，所以无需再加盐。

6 全程中火，忌用猛火快炒。

青椒烟笋回锅肉

过了吃青蒜的季节，成都人的习惯是回锅肉基本就不用青蒜炒了，因为此时的青蒜已经完全失味。这个时节，回锅肉这道四川家喻户晓的家常名菜用小青椒来配合那是再恰当不过了。

| 主　料 |

带皮五花肉500克，小青椒100克，水发烟笋150克。

| 煮肉料 |

老姜5克，花椒少许，料酒10克。

| 调辅料 |

菜籽油适量，盐3克，家常剁椒胡豆瓣酱30克，四川香辣豆豉酱20克，白糖3克，味精2克。

制作过程

 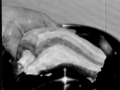 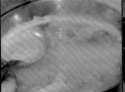

1 带皮五花肉加煮肉料冷水下锅。

2 水开后，撇去浮沫再煮15分钟左右至五花肉全熟。

3 将煮熟的五花肉捞出晾凉。

4 晾凉后的五花肉切片。

5 小青椒切滚刀块。

6 水发烟笋下锅干炒，煸干水汽并微微加盐调味后备用。

7 锅内下少许菜籽油五成热时，加入五花肉片下锅煸炒。

8 中火煸炒至五花肉出香吐油。

9 加入家常剁椒胡豆瓣酱炒香。

10 再加入四川香辣豆豉酱炒香。

11 小青椒可以下锅了。

12 烟笋下锅后继续炒至完全入味后，加白糖、盐、味精快速炒匀。

13 起锅装盘。

变变变

青椒烟笋回锅鸡
青椒烟笋回锅肘子
青椒烟笋回锅鳝鱼
青椒烟笋回锅牛肉
青椒烟笋回锅肚子

▌ 小秘密 ▐

1 若怕辣可将小青椒换成大青椒或甜椒。
2 家里没有家常剁椒胡豆瓣酱也可以用郫县原红豆瓣代替。
3 没有四川香辣豆豉酱可用老干妈香辣豆豉代替。
4 小青椒和烟笋下锅后炒5分钟左右。

变变变

干豇豆煸鸡翅
干豇豆煸牛肉
萝卜干煸五花肉
蒜薹煸五花肉
干豇豆煸猪头肉

干豇豆煸五花肉

　　北方有立秋贴秋膘的说法，五花肉应该是贴秋膘的第一选择吧！主材定了肯定就要选配料了，立秋以后的青辣椒和干豇豆立马从脑海中跳了出来。还等什么？开始今天的贴膘行动吧！

　　火哥历来就喜欢小青椒的香辣，特别是立秋以后的二荆条小青椒让人爱得不行！这个季节的虎皮青椒、烧海椒、青椒肉丝……又香又辣让你浑身冒汗的同时手中的筷子却不自觉地反复游走于盘子和嘴边，那感觉太爽了！火哥真心希望你也来感受一下。

制作过程

1 五成熟五花肉切片、水发干豇豆、小秋椒、小米辣。

2 锅内加菜籽油烧至五成热，下入五花肉片和花椒一起中火煸炒。

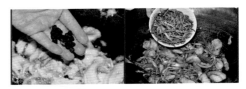

3 五花肉炒香吐油后，加入豆豉、酱油、甜面酱、白糖。

4 加入小秋椒、小米辣和干豇豆继续中火煸炒，并加盐。

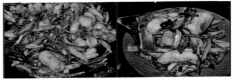

5 原料在锅里用中火再反复煸炒五分钟左右。

6 待小秋椒、小米辣、干豇豆和五花肉及各种调料的香味都完全融合后，关火加味精炒匀就可以起锅装盘了。

28

┃ 主　料 ┃

五成熟五花肉片250克，水发干豇豆150克，小秋椒100克，小米辣30克。

┃ 调辅料 ┃

菜籽油适量，花椒少许，豆豉5克，酱油15克，甜面酱5克，白糖2克，盐3克，味精1克。

┃ 小秘密 ┃

1 煮五花肉一定要冷水下锅，水开后用大火烧开煮5分钟左右，捞出晾凉切片。这时的五花肉基本是五成熟，煮的时候需加料酒、姜片、花椒。

2 秋天的二荆条青椒又叫小秋椒，秋季是小青椒最辣、最好吃的季节。

3 若怕辣，可以将小秋椒和小米辣换成大青椒和甜椒。

4 干豇豆用温水泡半小时左右即可。

5 全程中火慢炒。

|主　料|

带皮猪二刀肉300克，熟鲜笋150克，大青红椒100克。

|调辅料|

菜籽油适量，盐2克，酱油10克，甜面酱3克，味精2克。

制作过程

1 带皮猪二刀肉、青红椒、熟鲜笋。　2 二刀肉煮熟晾凉后，切成均匀薄片并肥瘦分开。

3 熟鲜笋用手撕成一分为四后，码好切段。　4 锅内菜籽油烧至五成热时，下肉片煸香出油后加盐并下入笋段。

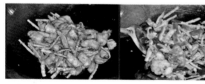

5 加入甜面酱和酱油上色提味。　6 下入青红椒段继续煸炒，熟后放味精起锅装盘。

|小秘密|

1 肉片下锅时先下肥肉，待肥肉炒香吐油后再下瘦肉，这样肥肉香而瘦肉不柴。

2 鲜笋一定要加盐煮一下，去掉苦涩味；没有鲜笋用水发干笋代替。

3 喜欢吃辣可以在步骤4时加入干辣椒。

4 全程中火炒制。

变变变

笋子熬鸡翅
笋子熬猪耳
笋子熬肘子
笋子熬脆骨
笋子熬子鸭

笋子熬肉

　　笋子熬肉这道菜对于老成都人来说有双重含义。第一，真正意义上的一道家常菜，主材是肉片和笋子；第二，主材变成小孩屁股和鸡毛掸子在特定的时段由家中最有权威的人（比如爸爸）在鸡毛乱飞中演绎出的家庭教育大菜。呵呵，当然第一种的味道要好很多，但我吃得最多的笋子熬肉还是第二种。

　　记得我家的那个鸡毛掸子是挂在门背后的，特点是毛比较少而且竹棍只有一点点长（原因就不用我说了吧，呵呵）。每当开了家长会或是被请了家长去学校后的这天晚上，新闻联播一结束我爸就会准时给我上菜了！那时的我多希望新闻联播能一直播下去不结束啊！呵呵，不过现在回想起儿时的点点滴滴，如果不是我爸经常给我上这道大菜，还不知道现在的我会是什么样？

樱桃红烧肉

春天有两样美味是不容错过的：第一是春笋，第二就是樱桃。

这道樱桃鲜笋红烧肉是用三线五花肉加春笋小火煨制而成，成菜色泽如樱桃般艳丽，所以老成都人都叫这道菜为樱桃肉。传统的樱桃肉是全猪肉做的，但这款有稍微改动，将猪肉和春笋组合在一起。各位按我说的方法试做，可以比较一下与传统做法的樱桃肉哪个更好吃！

┃ 主 料 ┃

鲜带皮五花肉1500克，鲜毛竹笋1500克。

┃ 调辅料 ┃

盐3克，菜籽油适量，老姜20克，花椒1克，桂皮8克，八角5克，山柰3克，白酒30克，冰糖糖色100克，冰糖50克。

┃ 小秘密 ┃

1 鲜笋越大越好，个大说明经过一个冬天的孕育营养吸收充分；没有毛竹笋用其他笋子代替也行。

2 鲜笋一定要加盐煮后，反复多换几次水才能用，这样可以去除笋子的苦涩味。

3 不要舍不得你家的好白酒哦，这道菜就是用的泸州老窖1573，烧出来的那道就不必多说了。

4 最后起锅前收汁时，动作一定要既快又温柔，肉已经很软了，动作大了就成笋子烧肉花了！

5 没有糖色可以用老抽代替，不过需要调整用量。

6 "少着水、慢着火、火候到时它自美！"，这是烧菜不变的规律，制作此菜时一定要牢记这句口诀。

1 鲜毛竹笋一个。

2 剥笋壳的诀窍就是从中间破皮切一刀，直接剥开。这样既方便也不会弄得到处都是毛。

3 剥开的笋子切1.5厘米左右大小的块，下锅加少许盐煮开后关火，并反复换清水冲洗浸泡。

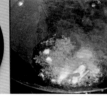

4 五花肉也切块备用。

5 锅内菜籽油烧至五成热，加入花椒、桂皮、八角、山柰和老姜煸香。

6 香料炒香后加入五花肉。

7 五花肉下锅后炒散，加白酒继续煸炒，直至五花肉出香吐油。

8 加入自制冰糖糖色。

9 加入水、盐、冰糖后烧开。

10 加入处理好的笋块。

11 大火烧开后转小火煨。

31

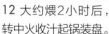

12 大约煨2小时后，转中火收汁起锅装盘。

变变变

樱桃烧鸡翅
樱桃烧肥牛
小土豆红烧肉
鹌鹑蛋红烧肉
板栗红烧肉

变变变

野生菌烧鸡
野生菌烧鹅
野生菌烧肘子
香菇烧鸡翅
香菇烧猪蹄

| 主　料 |

带皮五花肉块500克，水发野菌200克。

| 调辅料 |

大蒜50克，老姜20克，花椒1克，酱油40克，料酒20克，味精2克。

制作过程

1 带皮五花肉块、水发野菌、大蒜、老姜。

2 五花肉块、大蒜、老姜、花椒下入高压锅。

3 加入水发野生菌。

4 锅内加入酱油和料酒腌制半个小时，再加清水准备上锅。

5 盖上高压锅盖子打开电源压30分钟后，一锅浓香的高压锅版野菌红烧肉就做好了。

6 高压锅放气后不要急着出锅，将电源断开，不加盖再烧10分钟左右收汁，这样烧出的红烧肉更加入味，起锅装盘前加味精。

野菌红烧肉

　　高压锅该出场了！用这个厨房利器做点好吃又简单的美味是易如反掌的。这道高压锅版本的野菌红烧肉火哥觉得已经简单到了极致，你不妨试试。

| 小秘密 |

1 野生菌可用干香菇代替。

2 野生菌不要发得太透，烫水发10分钟左右反复换水洗净泥沙即可.

3 此菜如果不用高压锅制作，需用小火烧2小时左右。

4 如果是普通高压锅，压制时间从气阀上汽开始计时。

| 主 料 |

带皮五花肉500克，核桃仁、黑花生米、杏仁、开心果仁、白芝麻、黑芝麻、葡萄干、枸杞干合计100克。

| 调辅料 |

菜籽油少许，香叶1克，八角2克，花椒0.5克，桂皮2克，老姜10克，盐5克，料酒20克，焦糖色30克。

制作过程

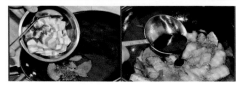

1 锅中菜籽油四成热时，下各种香料和五花肉块煸炒。

2 煸炒的过程中加入老姜、料酒和盐，炒香吐油后加入焦糖色。

3 加入清水。

4 大火烧开后，改用小火加盖焖烧1.5小时。

5 中火收汁即可起锅装盘。

6 将事先准备好的八宝料加在焦糖红烧肉的表面就可以上菜了。

变变变
八宝烧芋头
八宝烧肘子
八宝烧排骨
八宝烧鸡腿
八宝烧鸡爪

焦糖八宝红烧肉

火哥不是一个古板的人，很多时候就喜欢菜品创新。这道焦糖八宝红烧肉绝对算是有新意！

核桃仁、黑花生米、杏仁、开心果仁、（以上四样需事先炒至香脆）白芝麻、黑芝麻、（黑白芝麻炒熟）葡萄干、枸杞干，搭配最好的三线五花肉和焦糖再经过几个小时的烹制，看着就赏心悦目更不要说吃了！想吃吗？那就动手吧！

| 小秘密 |

1 烧菜水量一次加够，中途不宜再加水。

2 中途需常搅动以防煳锅。

3 核桃仁、黑花生米、杏仁、开心果仁需事先炒至香脆，白芝麻、黑芝麻需先炒熟，葡萄干、枸杞干洗净后风干再用。

咸烧白

老成都的咸烧白和甜烧白这两道传统川味蒸菜绝对是所有"猪肉控"的最爱！我更喜欢咸烧白，肥而不腻、爽滑异常，轻轻夹一片放在嘴中绝对不能咬，而是将爽滑的肉片吸进去，饱含芽菜香味的肉片顿时令你不光是舌尖而是整个口腔都舒服无比啊！

有一段时间，我苦于找不到好的芽菜而很久没有做这道菜，那段没有咸烧白的日子是怎样的感受？相当于失恋啊！你说多痛苦！还好最近托朋友带回了最正宗、最好吃的宜宾芽菜、这芽菜又让我和咸烧白有了恋爱般的感觉，火哥的幸福其实就是这么简单！

| 主 料 |

带皮五花肉1500克（制作4份左右），菜籽油适量。

| 煮肉料 |

老姜片10克，花椒少许，料酒20克。

| 制皮料 |

糖色100克。

| 拌肉料 |

酱油适量，料酒6克。

| 调辅料 |

Ⓐ 料： 宜宾芽菜400克，老姜片8克，豆豉8克，泡辣椒16克，花椒2克。

Ⓑ 料： 白糖2克，酱油10克，鲜汤40克，五香粉2克，鸡精4克。

制作过程

1 带皮五花肉加花椒、老姜片、料酒冷水下锅煮透。

2 煮透的五花肉趁热刷上糖色后，晾凉准备制皮。

3 刷上糖色凉后的五花肉下入八成热的油锅中制皮，将制皮后的五花肉放入温水中浸泡1小时。

4 捞出泡好的五花肉，切成筷子厚的肉片，加入酱油拌匀上色。

5 上色后的肉片定碗装盘，一般咸烧白每碗放8、10、12片。

6 剁细的宜宾芽菜中加入调辅料A料。

7 将调辅料A料拌匀后放于肉片上。

8 再淋上搅匀的B料，上笼蒸。

9 大火蒸1小时。

10 扣碗装盘，就可以上桌了。

变变变
咸烧肘子
咸烧牛蹄
咸烧猪头肉
咸烧鸡翅
咸烧羊蹄

┃ 小秘密 ┃

1 煮肉时间30分钟左右。

2 芽菜不建议用切碎、袋装的，因为大多数洗不干净的碎米芽菜中会有沙粒，吃到嘴里很不舒服，所以最好买整棵的芽菜洗净后自己切碎。

3 油锅制皮的过程一定要小心烫伤，建议全程用锅盖来保护自己。

4 肉片厚薄一定要均匀，定碗码放有序。

5 蒸碗不能太深，否则不易蒸透。

变变变

粉蒸肥肠
粉蒸排骨
粉蒸鸡翅
粉蒸兔
粉蒸鱼

豌豆刨花粉蒸肉

这道老成都豌豆刨花粉蒸肉的特色是鲜香微辣、糟香味浓、回味略甜、肥而不腻。米粉没有采用传统的普通大米而是选用了新鲜的糙米炒制，这样做的好处是营养更加丰富。为啥叫刨花粉蒸肉？这是因为肉片不是用的餐厅常见的装盘方式一片一片摆好，而是随意装盘，蒸好的肉片形状弯曲酷似一片片飞舞的刨花。还需要说明一下，因为蒸肉中加入了新鲜豌豆，所以没有用红薯或土豆等垫底。

制作过程

1 将带皮猪五花肉片和鲜豌豆中加入豆腐乳。　2 加入醪糟和高度白酒。

3 加入郫县油制豆瓣酱。　4 加入剁好的椒麻。

5 加入姜汁、糖色。　6 加入五香蒸肉米粉、辣椒油后充分拌匀。

7 拌匀的粉蒸肉生坯装入蒸碗中上笼蒸1.5小时。　8 蒸好出锅翻碗装盘后撒上葱花即可。

36

┃ 主 料 ┃

带皮猪五花肉500克，鲜豌豆100克。

┃ 调辅料 ┃

豆腐乳10克，醪糟30克，高度白酒5克，郫县油制豆瓣酱30克，椒麻15克，姜汁10克，糖色15克，五香蒸肉米粉150克，辣椒油50克，葱花适量。

┃ 小秘密 ┃

1 豆腐乳用红味、白味都行，但一定要调开。
2 郫县油制豆瓣酱需用剁细的郫县豆瓣酱炒制。
3 椒麻是由大葱和花椒按5:1的比例剁细而成。
4 调辅料和肉片一定要拌匀。
5 500克猪肉建议分成三碗蒸。

午餐肉香碗

为了吃到午餐肉的原汁原味，我将它做成了这种口味清淡的香碗。那份泡菜是为了解油腻的，即便口味清淡，但吃多了还是会有点腻的。

制作过程

1 切好的午餐肉片定碗。

2 将泡好洗净的黄花菜和木耳加在碗中，加入鲜汤。

3 放入蒸锅，加盖蒸40分钟左右。

4 将选好的盘子扣在蒸碗上面。

5 将蒸碗中的原汤倒入锅中，准备水淀粉勾芡。

6 均匀浇芡汁即可。

| 主　料 |

午餐肉罐头1个，木耳5克，黄花菜5克。

| 调辅料 |

水淀粉20克，鲜汤少许。

变变变

猪蹄香碗
火腿肠香碗
香菇蒸午餐肉
鸡腿菇蒸午餐肉

| 小秘密 |

1 干黄花菜要买没有用硫黄烟熏过的，凡是有刺鼻气味的都不要用。

2 木耳最好用小木耳。

3 泡木耳和干黄花菜用温水。

4 开罐头时注意不要被罐头边缘割伤。

5 这道菜适合勾玻璃芡，芡汁不宜过浓。

变变变

香煎肥牛
柠檬煎五花肉
蒜香煎鸡中翅
花椒叶煎羊肉
紫苏煎五花肉

迷迭香煎肉

迷迭香又名海洋之露，是源自地中海的一种植物香料。海洋之露多美的名字啊！多年前火哥就用过，不过那时可没有新鲜的迷迭香卖，都是以香粉的形式在腌制原料或成品起锅时放一点点，现在发达的物流为我们的美食家们带来了福音。那天午后，在超市看见这种新鲜的迷迭香，立马捧在手心，一个深呼吸后顿时觉得神清气爽！于是火哥就爱上了这缕香气，于是火哥带它回家了，于是就有了这道迷迭香煎肉！哈哈……

制作过程

1 带皮五花肉洗净，迷迭香洗净后切细。　2 五花肉中加入切细后的迷迭香和料酒。

3 加入川味五香盐拌匀后，放冰箱冷藏室腌制24小时，这样可以让香味完全融入肉中。　4 石头烤盘烧烫后，放入腌制好的五花肉。

5 煎至表皮金黄即可。　6 趁热改刀切片，最后再淋冰花酸梅酱即可享用。

｜主　料｜

38

带皮五花肉300克。

｜调辅料｜

迷迭香10克，川味五香盐15克，料酒10克，冰花酸梅酱50克。

｜小秘密｜

1 川味五香盐是用川盐和五香粉调配而成。
2 腌制好的猪肉片要一面一面慢慢煎，不能着急。
3 趁热切片时厚薄要均匀。
4 没有石头烤盘可以用铁板或平底锅。
5 料酒可以用白葡萄酒替换。

| 主　料 |

猪肉150克，大头菜200克。

| 调辅料 |

菜籽油少许，小青椒粒30克，干辣椒5克，花椒少许，料酒10克，酱油5克，味精1克。

制作过程

1 这就是大名鼎鼎的四川大头菜。

2 小青椒粒、剁细的猪肉、干辣椒段、花椒、切粒的大头菜。

3 锅内菜籽油烧至五成热，下入干辣椒和花椒炝香，加入猪肉、料酒继续煸炒至出肉香后加入酱油调色、调味。

4 加入小青椒粒、大头菜粒中火煸炒至香，关火加味精炒匀起锅。

| 小秘密 |

1 不要着急起锅，大头菜越煸越香，成菜一定要干。

2 这道菜一定不能加盐，四川大头菜已经比较咸了。

3 全程中火翻炒。

炝炒大头菜
鸡米大头菜
牛肉炒大头菜
油渣炒大头菜
鸡皮炒大头菜

变变变

烂肉炒大头菜

　　成都周边有个旅游景点叫洛带古镇，那人气可是相当的旺！

　　我这个超级好吃嘴是经常去洛带的。因为那里有供销社饭店的野菌烩面皮、新民饭店的客家烟熏烧鹅、闻名遐迩的伤心凉粉、外脆内软的天鹅蛋（糖油果子）、清香爽口的艾蒿馍馍、圆圆滚滚的红苕豆豉，更有号称四川四大腌菜之一的大头菜。

　　四川这四大腌菜和代表菜有如下：宜宾的芽菜（咸烧白和鸡米芽菜）、涪陵的榨菜（红油榨菜和榨菜肉丝）、南充的冬菜（冬菜扣肉和冬菜包子）、洛带的大头菜（凉拌大头菜夹锅盔和烂肉炒大头菜）。

变变变
红汤葱香圆子
红汤蘑菇圆子
红汤折耳根圆子
红汤韭菜圆子
红味干锅圆子

制作过程

1 猪腰柳肉一块。　　2 剔除腰柳肉上筋膜后，用刀背剁成泥。

3 剁细的肉泥中加入蛋清。　　4 加入豌豆淀粉、香菜末、盐、料酒、白胡椒粉、清水，速度由慢变快、以顺时针搅拌，直到肉泥上劲后用手挤成圆子，备用。

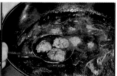

5 火锅底料适当加水烧开，将圆子依次下锅。　　6 10分钟左右红锅中的圆子浮起即熟，撒香菜末就可以上桌了。

红汤香菜圆子

40

　　英国首相来成都访问，热情的四川人民给他端上了最具四川特色的火锅！这位老外还真能吃辣，一般红锅加白锅的鸳鸯锅他不喜欢，非要点全红锅的锅底，而且据说最喜欢红锅煮的香菜圆子。这下可好，他吃过的火锅店包间瞬间提升了N个级别（据说首先提升的是价位，服务和菜品有没有提升我没去吃过！呵呵），就连火锅店菜品中默默无闻多年的香菜圆子也成了成都众多火锅店中炙手可热的明星菜品，好像现在你吃火锅不点一份香菜圆子就与时代脱轨了。

| 主 料 |
猪腰柳肉500克。

| 调辅料 |

蛋清50克，豌豆淀粉50克，香菜末30克，盐6克，料酒10克，白胡椒粉1克，火锅底料150克，香菜末少许。

| 小秘密 |

1 用刀背或其他钝器剁肉泥是传统的制作方法，这样剁出肉泥做出的圆子，其口感和用肉馅机或刀刃剁成的肉泥完全不是一个级别。
2 煮圆子浮不起来说明没有成功。
3 火锅底料可以根据自己喜好的增减辣度。
4 这种香菜圆子用清水加菜叶煮，也很美味。

黄瓜圆子汤

黄瓜圆子汤这道家常汤菜很多人都做过、吃过，但这种黄瓜切片后不用下锅烫煮的做法，估计吃过的人就不多了。

制作过程

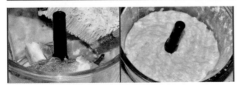

1 将去皮猪前腿肉、虾皮、鸡蛋、豌豆淀粉、老姜、盐、料酒、白胡椒粉、清汤加入碎肉机中打细。

2 绞细拌匀后从肉馅机中取出装碗，备用。

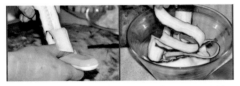

3 黄瓜洗净后用削皮刀切成薄片。

4 切好的黄瓜薄片放入汤碗中。

5 锅内加清汤水开后挤入圆子。

6 煮10分钟后，将圆子连汤装入汤碗中即可。

| 主 料 |

去皮猪前腿肉500克，虾皮20克，黄瓜1根。

| 调辅料 |

鸡蛋1个，豌豆淀粉50克，老姜5克，盐8克，料酒10克，白胡椒粉少许，清汤适量。

变变变

青笋圆子汤
黄瓜鸡肉圆子汤
黄瓜鱼肉圆子汤
冬瓜圆子汤
紫菜圆子汤

| 小秘密 |

1 虾皮可换成干贝，但不可加太多否则影响口味。

2 圆子下锅，水开后转小火煮熟即可。

3 此菜最大的特点是能吃到满是清香、口感脆嫩的黄瓜片。

4 没有清汤就用清水代替。

萝卜连锅汤

20多年前，那时我乡下老家的外婆还在，每年年初她老人家都会安排舅妈养一头或两头黑猪（一定是黑猪，原因很简单，就因为黑猪的肉更好吃）在过年的时候作为年猪食用，那猪肉香得真是没话说！后来随着外婆的过世和老家旅游业的发展，养猪成了历史。这么多年没有吃过正宗黑猪肉被超市里228元1公斤的价格着实吓了一跳！

这可是我见过最贵的猪肉了。细细挑选后忍痛买了一块二刀肉回家，这块肉能让我找回从前的记忆吗？

| 主 料 |

带皮二刀肉（猪腿肉）300克，萝卜1000克。

| 调辅料 |

老姜片10克，花椒少许，白糖5克，盐5克，郫县豆瓣酱30克，菜籽油适量，葱花10克。

制作过程

1 带皮二刀肉冷水下锅的同时加入老姜片。　2 水开以后撇去浮沫。　3 浮沫去尽后加入花椒。

4 猪肉煮至断生，捞出晾凉。　5 萝卜洗净后去皮、切片。　6 萝卜放入煮肉的原汤煮至熟软。　7 汤中加入白糖和盐。

8 郫县豆瓣酱剁细后装碗。　9 倒入七成热的菜籽油将郫县豆瓣酱烫香。　10 趁热加入葱花拌匀，做好豆瓣蘸水。　11 晾凉后的猪肉切成薄片。

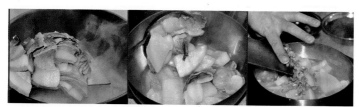

12 肉片再次下锅，与萝卜继续再煮。　13 10分钟后，这锅连锅汤大功告成。　14 上桌前，加入葱花是我的个人爱好。

变变变

白菜连锅汤
冬瓜连锅汤
排骨连锅汤
肘子连锅汤
青菜连锅汤

香酥山药丸子

前几天火哥的微博收到了一个粉丝的私信，信中一位无助的妈妈问火哥怎么样才能让她的儿子喜欢上吃饭？我想孩子能爱吃饭、健康成长也是天下所有父母的心愿吧！

关于这个问题我有三个建议：

第一，不要一味地将自己的饮食偏好强加给孩子。

第二，父母多学习、多实践各种菜品的制作，不要怕失败。如果有机会让孩子参与到美食的制作过程中更好。

第三，用爱心制作美食，绝不是应付做饭，而是快乐做饭。

就像这道菜虽然只是简单的油炸丸子，但是火哥用心加入了山药，这样丸子更加营养、口感也更顺滑，而且创意性地用小花瓶来上菜，我相信孩子不能拒绝和无视这道充满趣味的小菜的，赶快动手试试吧！

| 主　料 |
猪肉馅500克，山药150克。

| 调辅料 |
菜籽油适量，老姜5克，鸡蛋1个，豌豆淀粉50克，清水50克，料酒10克，白胡椒粉2克，盐8克，鸡精2克。

制作
过程

1 猪肉馅、山药。

2 山药切段，以大火蒸20分钟后去皮。

3 将熟山药压成泥。

4 肉馅中加入剁细的老姜。

5 加入鸡蛋。

6 加入豌豆淀粉。

7 加清水和料酒。

8 加入白胡椒粉、盐、鸡精。

9 顺时针搅动。

10 加入山药泥同样顺时针搅动至均匀上劲。

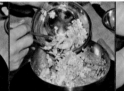

11 用手挤丸子。

45

12 锅内菜籽油烧至六成热，下入山药肉丸子。

13 炸至金黄色捞出。

14 趁热将竹签插入丸子，穿好的丸子插入小花瓶中即可上菜。

变变变
香酥土豆丸子
香酥豆沙丸子
香酥鸡肉丸子
香酥豆腐丸子
香酥菜丸子

▌小秘密 ▌

1 猪肉馅尽量剁细。

2 猪肉肥瘦比例建议4：6。

3 山药蒸熟后去皮，可以防止皮肤因接触生山药汁而发生的过敏反应。

4 搅拌圆子一定顺着一个方向由慢到快搅动。

5 炸圆子时注意控制油温防止烫伤。

6 根据自己的喜好，可以搭配干辣椒粉蘸着吃。

炝炒泡豇豆
鸡米泡豇豆
牛肉泡豇豆
鱼丁泡豇豆
鸡翅泡豇豆

烂肉豇豆

　　四川人对烂肉豇豆的爱是由来已久了。新鲜豇豆经过老坛的泡制特别香脆可口，加点烂肉和干辣椒、花椒合炒后更是回味无穷！喜欢、我是真心喜欢、超级喜欢啊！

| 主 料 |
烂肉（猪肉碎）150克，泡豇豆200克。

| 调辅料 |
菜籽油少许，干辣椒5克，花椒1克，料酒5克，酱油6克，味精1克。

| 小秘密 |
1 烂肉一定要煸干，否则口味欠佳。
2 泡豇豆下锅后，不要炒太久。
3 这道菜由于泡豇豆本身是咸的，所以就不加盐了。
4 泡豇豆不可切得过细。

制作过程

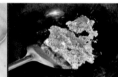

1 泡豇豆、烂肉、干辣椒、花椒。

2 锅中菜籽油烧至五成热时，下干辣椒和花椒炝香后加入烂肉炒散。

3 烂肉加入料酒煸干水分后，再加入酱油继续煸炒出香味。

4 加入切细的泡豇豆炒匀关火，加入味精即可。

一变变变
火腿烧黄豆
火腿烧土豆
火腿烧四季豆
火腿烧豇豆
素烧蚕豆瓣

火腿烧豆瓣

┃ 主 料 ┃
去皮新鲜蚕豆瓣150克，火腿肉30克。

┃ 调辅料 ┃
猪油少许，火腿鲜汤适量，水淀粉10克。

┃ 小秘密 ┃
1 火腿需选用无皮全瘦的部分。
2 若没有火腿可以用火腿肠或培根代替。
3 没有火腿鲜汤用一般鲜汤或清水代替。
4 勾芡的芡汁不宜太浓。
5 火腿本身有咸味，所以此菜不建议加盐。

制作过程

1 将去皮的新鲜蚕豆 2 煮熟的火腿剁碎。
瓣洗净。

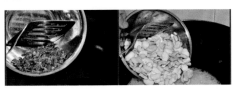

3 锅内下入猪油， 4 下入蚕豆瓣后微微
五成热下入火腿粒 煸炒。
炒香。

5 加入煮火腿的原汤。 6 烧20分钟左右至 7 以水淀粉勾芡。 8 起锅装盘。
蚕豆瓣熟软。

如何
剁排骨

合格

1 整块排骨洗净。　2 从肋骨中间下刀砍成排骨条。

3 左手抓稳排骨、右手快速砍下。　4 砍成所需要的长度。

蒜香排骨

这道蒜香排骨的营养和美味我就不多说了，就请各位在家按我的方法制作一份，酥脆多汁的感觉自己慢慢品尝吧。由于这道菜加了很多大蒜，在春夏交替、气温变幻无常的时候，多吃大蒜对于预防流感和胃肠道疾病很有作用。说不定哪天专家教授们就要提倡大家多吃大蒜取代板蓝根了！呵呵～～

48

┃ 主　料 ┃
猪排骨500克。

┃ 调辅料 ┃
大蒜瓣100克，鸡蛋100克，淀粉100克，胡椒粉1克，川味五香盐8克，鸡粉2克，米酒20克。

变变变
蒜香鸡翅
蒜香脆骨
蒜香鸭舌
蒜香鸭脖
蒜香鸡腿

制作过程

1 大蒜瓣剁细加入排骨中。　2 加入鸡蛋、淀粉、川味五香盐、胡椒粉、米酒拌匀。

3 放入冰箱腌制2小时。　4 色拉油烧至五成热，放入腌制好的排骨

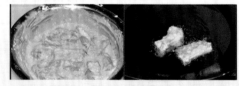

5 用中火保持五成热，浸炸8分钟左右。　6 炸至金黄色，即可起锅装盘。

| 小秘密 |

1 淀粉最好选用玉米淀粉或豌豆淀粉。

2 排骨下油锅炸之前需再次拌匀。

3 排骨下油锅一定要一块一块放入，以防止粘连。

4 排骨油炸时切忌高油温。

5 500克排骨家庭制作时建议分三次下锅油炸。

6 食用时配上各种果酱更好吃。

7 没有米酒也可用普通白酒代替，但应根据酒精度减量。

8 川味五香盐是用川盐加五香粉调制的。

糖醋排骨

记得以前学厨时，制作糖醋排骨这道菜用的都是老醋，那时做出来的糖醋排骨虽然糖醋味浓、口感一流，但色泽确实不敢恭维。后来，有人教我使用番茄沙司来制作这道菜，但使用番茄沙司的糖醋排骨除了热的时候颜色稍微好看些，排骨凉后不但色泽尽失，口味也变得怪怪的，所以此法也只有放弃。当然，火哥也用白醋加糖色的方法制作过糖醋排骨，但白醋和冰糖就像闹别扭的小夫妻，实验多次也不能做出让我满意的糖醋味。一个偶然的机会，火哥发现了果醋，这道菜因为加入了果醋不但色泽诱人、酸甜适口，而且吃起来还有股浓郁的果香味。

| 主 料 |

猪排骨500克。

| 调辅料 |

老姜20克，料酒20克，盐6克，冰糖60克，糖色15克，果醋50克，香葱10克。

变变变
糖醋龙骨
糖醋鸡翅
糖醋脆骨
糖醋肉丁
糖醋肉丁

制作过程

1 猪排骨砍成小块，洗净并挤干水分。

2 色拉油五成热时排骨下锅煸炒，加老姜。

3 加入料酒。

4 加盐后就继续煸炒，直到排骨收干水汽并吐油出香味。

5 加入清水。

6 加入冰糖。

7 再加入糖色。

8 香葱下锅后大火烧开，转中小火加盖烧1小时。

9 待锅里的汤汁较浓时，第一次加果醋30克后用中火继续收汁。

10 锅中的汤汁继续减少且变得更加浓稠、可以完全包裹住排骨时，说明排骨可以起锅了。起锅前，再次加入果醋20克，大火快速翻炒拌匀即可。

| 小秘密 |

1 排骨下锅前，一定要用清水反复冲洗净排骨的血污，这样做出的糖醋排骨色泽才美观。

2 这道菜一定要用冰糖，这样成菜色泽才会饱满油润。冰糖糖色是糖醋排骨颜色红亮的关键。

3 起锅收汁时需要你的锅铲不停翻动以免煳锅，可不要偷懒哦。

4 第一次加果醋是为了让醋味进入排骨内部，而第二次加醋是让排骨的表皮糖汁醋味更加浓郁。

5 果醋的酸度较一般醋低，所以换成其他醋需要减量。

变变变

苦荞蒸肉
苦荞蒸鸡
苦荞蒸牛肉
苦荞蒸鸡翅
苦荞蒸丸子

苦荞蒸排骨

　　初次认识苦荞茶，带着好奇火哥马上就泡了一壶，顿时就被苦荞茶特有的香味所吸引。

　　每次喝苦荞茶，我都觉得把泡涨的苦荞茶扔了挺可惜，苦荞本来就是彝族的一种粮食。于是，我大胆地直接用苦荞茶做了一份苦荞蒸肉。第一次各种调料加多了，所以没怎么吃出苦荞的香，经过多次实践总结出这道苦荞茶蒸排骨，我个人感觉挺好，王婆卖瓜啦，呵呵～～

52

┃ 主 料 ┃

猪排骨200克，原粒黑苦荞茶50克。

┃ 调辅料 ┃

甜面酱15克，盐2克，白酒3克，胡椒粉少许，味精1克，菜籽油适量，葱花5克。

┃ 小秘密 ┃

1 只能用原粒的苦荞茶而不能使用那种加工的粉状苦荞茶。

2 这道菜切记不可加老姜、辣椒粉和五香粉等，因为调料越简单茶香越彰显。

3 蒸制时，注意不要上水汽也不要蒸干。

制作过程

1 猪排骨洗净后剁成小块。

2 加入甜面酱、盐、白酒、胡椒粉、味精、菜籽油。

3 将调料和排骨拌匀码味10分钟。

4 黑苦荞茶用开水泡发半小时后沥水。

5 将苦荞颗粒加入排骨中。

6 拌匀后放入蒸碗上笼，加盖蒸1.5小时，上菜前撒葱花即可。

春笋蚝油排骨

这道独味菜的制作可以说是超级简单中的简单的。两种食材和三种调辅料的组合，再加上无需任何技巧的蒸制，成功率可以说是百分百！如果这道菜都不能满足你对于简单的要求，并且做失败了，那我就只有出"一切食材刺身"这最后一招了……

制作过程

1 猪排骨剁成中节后，洗净并挤干水分加入蚝油、白酒后拌匀。　2 覆盖保鲜膜放冰箱，冷藏码味5小时。

3 将排骨取出，在蒸碗中依次摆好后表面放切好的春笋片。　4 上笼蒸2小时。

5 将蒸碗反扣在盘中并滤出汤汁下锅。　6 以水淀粉勾芡，将芡汁浇在排骨表面即大功告成。

变变变
春笋蚝油猪蹄
春笋蚝油肘子
春笋蚝油鸡翅
笋干蚝油脆骨
春笋蚝油鸡腿

▎主　料▎
猪排骨250克，鲜春笋100克。

▎调辅料▎
蚝油50克，白酒3克，水淀粉15克。

▎小秘密▎
1 春笋必须事先加盐煮熟，漂水去除苦涩味。
2 不同品牌蚝油用量因咸度不同会有增减。
3 白酒可换成葡萄酒。
4 如果使用高压锅，蒸40分钟就行了。

麻辣粉蒸鱼
麻辣粉蒸兔
麻辣粉蒸鸡翅
麻辣粉蒸肥肠
麻辣粉蒸脆骨

麻辣粉蒸排骨

　　天气炎热的夏季，在厨房做菜基本等同于洗了一次桑拿。但为了家人，我们不可能不做菜、不吃饭啊！火哥给大家推荐这道电高压锅版的麻辣粉蒸排骨，可以让煮妇远离高高温。让电高压锅为我们烹制美食，您就在客厅看书、享受音乐吧！

▌主料▌

猪排骨600克，土豆200克。

▌调辅料▌

豆腐乳10克，醪糟30克，高度白酒5克，郫县油制豆瓣酱15克，花椒粉1克，姜汁10克，糖色15克，味精2克，盐3克，五香米粉150克，辣椒油80克，鲜汤100克，葱花5克。

▌小秘密▌

1 蒸制时也可以用山药、红薯、芋头等打底。

2 辣椒油分两次下，拌料时加30克，最后淋油50克。

3 600克猪排骨建议分成三碗蒸制。

4 普通锅蒸90分钟左右。

5 蒸制时应选较浅的蒸碗。

制作过程

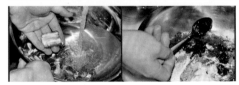

1 猪排骨剁成小块，冲洗干净。

2 猪排骨加入豆腐乳、醪糟、高度白酒、郫县油制豆瓣酱、花椒粉、姜汁、糖色、味精、盐、五香米粉、辣椒油、鲜汤，拌匀腌制半小时。

3 将腌制好的排骨码好，再将土豆切丁放入电高压锅中蒸40分钟。

4 将蒸好的排骨翻碗，淋辣椒油、撒葱花即可上菜。

制作过程

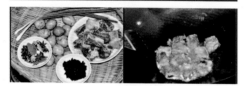

1 来一张原料全景图。

2 锅内放入少许菜籽油烧至五成热时，下猪排骨和白酒，中火煸香吐油后装盘，备用。

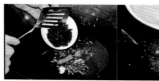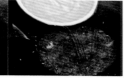

3 锅内再次加少许菜籽油烧至五成热，加入各种香料和豆瓣酱煸炒至出香味。

4 炒香出色后加入清水。

5 加入糖色后大火烧开转小火熬半个小时。

6 滤除汤汁中的香料。

7 将煸好的排骨和去皮的小土豆放入无渣汤料中。

8 大火烧开后转小火，加盖慢煨1小时，最后用大火收汁、放味精即可。

| 小秘密 |

1 最后大火收汁阶段需随时注意锅里的变化，汤汁因为加了糖色很容易煳锅，所以一定要每一铲都铲到底，直至将菜中的水分收干。

2 担心煳锅也可以不必烧那么干，不过那就不是干烧张飞排骨而是红烧张飞排骨了。

变变变
干烧张飞牛肉
干烧张飞驴肉
干烧张飞鸭掌
干烧张飞肘子
干烧张飞拐肉

干烧张飞排骨

55

其实这道菜应该算是一道改良版的川味干烧菜，其通俗易懂的名字应该叫小土豆干烧排骨。这道菜火哥采取无渣的做法，这样不但成菜色泽红润，而且经过小火慢慢焖烧，排骨和土豆将汤汁兜全吸收，一口下去真是回味无穷！

| 主 料 |

猪排骨500克，小土豆500克。

| 调辅料 |

菜籽油适量，郫县豆瓣酱20克，八角3克，桂皮4克，山柰3克，丁香1粒，花椒少许，小茴香1克，葱30克，老姜15克，白酒15克，糖色15克，味精2克。

小资排骨汤

▌ 主 料 ▌
猪排骨500克，黄豆芽250克，薏仁20克。

▌ 调辅料 ▌
花椒0.5克。

56

▌ 小秘密 ▌
1 薏仁最好买贵州的小薏仁，口感好、养生功效更好。
2 买薏仁的时候闻一下有没有异味，正常的薏仁是有清香味的。
3 黄豆芽买回家后，一定先用水泡10分钟，中间换水三次。
4 常喝这道汤有去除体内湿气的食疗功效。

变变变
小资肉片汤
小资猪肝汤
小资腰片汤
小资猪肚汤
小资老鸭汤

制作过程

1 薏仁下锅之前用热水泡30分钟，中间换水一次。

2 黄豆芽去除根部后洗净。

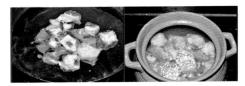

3 猪排骨砍成2厘米左右的小节，冷水下锅汆水后洗净。

4 将治净后的排骨、薏仁、花椒、适量清水下入砂锅中。

5 煮开后持续大火1小时，这样汤会更白更香。

6 加入黄豆芽烧开后改成小火再炖1小时关火，就可以啃排骨、喝汤了。

玉米山药龙骨汤

火哥炖汤不常用排骨，一直觉得龙骨（即猪背上的大骨）炖出来的汤更香，这道玉米山药龙骨汤不但闻起来有很浓的玉米香味，而且口感也很清爽，回味有一点甜甜的感觉，各个季节都适合。每当炖这道汤的时候，家里每一个角落都弥漫着淡淡的甜香味，很惬意。

| 主料 |

猪龙骨500克，山药500克，玉米300克。

制作过程

1 猪龙骨、山药、玉米。

2 汆透的龙骨下入砂锅。

3 加入去皮、切段的山药。

4 加入切段的玉米后大火烧开，转中小火炖2小时，汤就可以了。

变变变
玉米山药猪蹄汤
玉米山药仔肺汤
玉米山药鸡汤
玉米山药肘子汤
玉米山药猪肝汤

| 小秘密 |

1 山药去皮时，为防止其黏液导致的皮肤过敏，最好戴手套。
2 猪龙骨一定要先汆水，撇去浮沫。

萝卜龙骨汤

　　火哥超级喜欢这道汤菜的原因就是简单而且好吃。通常，吃过午饭我就把这个汤炖在炉子上，然后就躲房间里该干啥干啥去了。夏天时，中午两点多炖上、六点前关火，吃晚饭的时候温度都还刚刚好！

　　萝卜汤炖好后，配上自家做的家常豆瓣酱蘸水是我们全家都喜欢的吃法。吃一块蘸过豆瓣酱的萝卜，喝一口萝卜鲜汤，如果再配上一碗蛋炒饭那就是任何季节都超赞的大餐啦！

┃ 主　料 ┃

白萝卜1000克，猪龙骨500克。

┃ 调辅料 ┃

老姜15克，花椒少许，家常豆瓣酱30克。

制作过程

1 白萝卜、猪龙骨。　　2 猪龙骨冷水下锅后，烧开并撇去浮沫。

3 加入花椒和老姜。　　4 萝卜切大块下锅，大火烧开后转小火炖3小时，以家常豆瓣酱蘸食即可。

变变变
萝卜肘子汤
萝卜蹄花汤
萝卜圆子汤
萝卜牛肉汤
萝卜羊肉汤

┃ 小秘密 ┃

1 萝卜一定要切大块，大块的萝卜才适合长时间炖制。
2 家常豆瓣酱蘸水也可以用其他蘸水代替。

如何加工猪蹄

合格

1 从猪蹄内侧先切一刀后，砍开。 2 砍的力度需适当控制，不能砍破猪皮。

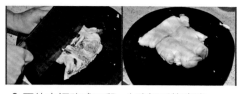

3 再从中间砍成三段。 4 砍好后的猪蹄。

豆瓣拌蹄花

其实，川菜调味不一定都需要很多调料和复杂调味的，比如这盘味道超级棒的豆瓣拌蹄花就只需要一点四川家常豆瓣酱和几根小葱就足够了。

| 主 料 |
去骨熟猪蹄300克。

| 调辅料 |
小葱30克，家常剁椒豆瓣酱60克，味精2克。

变变变
豆瓣拌肘子
豆瓣拌鹅肠
豆瓣拌饺子
豆瓣拌凉粉
豆瓣拌白肉

| 小秘密 |
1 家里没有家常剁椒豆瓣酱也没关系，可以用郫县豆瓣酱代替。不过，郫县豆瓣酱需要先在锅里放油炒香。
2 此菜热拌、凉拌均可。
3 这道菜的汤汁还可以直接作为面条拌料。

制作过程

1 小葱切段，放入盘中打底。

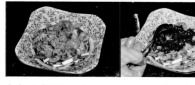

2 加入切块、去骨的熟猪蹄。 3 将家常剁椒豆瓣酱、味精放在猪蹄上，这道超级美味就做好了。

59

双椒拌蹄花

蹄花是成都人对猪蹄的爱称，如果你到了成都的那种小饭馆估计还能听有人叫："老板，来一根优秀的前蹄！"对于火哥这样一个典型的"蹄花控"来说，泡茶可以不要茉莉花，但每周的餐桌绝对不能少了蹄花！哈哈哈……

随着天气渐渐闷热起来，成都又要开始免费桑拿了！那种坐着都冒汗的日子不好受啊，连吸进去的空气中都感觉全是水，这个时候不来点爽口菜简直就没有食欲，所以我平时最喜欢的雪豆蹄花也变成了这种酸辣爽口、味重的双椒凉拌蹄花。

做这类凉拌的猪蹄菜如果不去大骨就显得没有那么精致，所以火哥的凉拌系列蹄花菜式都是猪蹄煮耙后去大骨的。当然炖猪蹄的汤我是不会倒掉的，加点蔬菜和葱花就是一碗营养丰富的汤菜。

| 主 料 |

猪前蹄1个（约500克），韭菜结50克。

| 调辅料 |

老姜10克，花椒少许，原汤适量，美极鲜酱油2克，白糖20克，白醋15克，盐3克，味精2克，小青椒20克，小米辣10克，芝麻油10克。

| 小秘密 |

1 猪蹄以炖至能轻松去掉大骨为标准。
2 猪蹄一定要买带筋的，这样口感才好。
3 加入炖蹄花的原汤时只要汤而不要表面的浮油，余下的炖猪蹄原汤可以加蔬菜煮熟食用。
4 小青椒和小米辣是调节辣度的，喜欢辣就多加。
5 这道菜可以凉拌也可以热拌。

制作过程

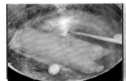   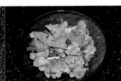

1 猪前蹄去毛、洗净后，冷水下锅，加老姜和花椒炖2小时左右。

2 熟软的猪蹄剔去大骨。

3 碗里放入韭菜结，打底。

4 加入剁成小块的蹄花。

5 调味碗中加入炖蹄花的原汤。

6 加入美极鲜酱油、白糖、白醋、盐、味精。

7 加入小青椒和小米辣。

8 最后放入芝麻油，将调味汁淋上就可以了。

变变变

双椒猪耳朵
双椒鸡翅尖
双椒肥肠
双椒牛肉
双椒菌肝

麻辣凉粉拌蹄花

四川人的凉拌菜喜欢添加各种调辅料。如果调辅料和主料很搭配，那么这道菜就会很完美。这道麻辣凉粉拌蹄花就很般配！去骨猪蹄软糯的口感，加上凉粉的滑爽、配上麻辣的作料，真是想不好吃都难啊！

│ 主　料 │
去骨熟猪蹄150克，白凉粉200克。

│ 调辅料 │
辣椒油50克，花椒油5克，酱油3克，美极鲜酱油2克，盐3克，青椒5克，小米辣3克，白糖5克，葱花3克。

制作过程

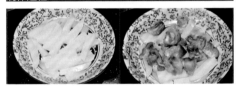

1 切好的白凉粉装碗，垫底。

2 去骨熟猪蹄切小块后放在凉粉表面。

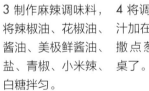
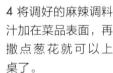

3 制作麻辣调味料，将辣椒油、花椒油、酱油、美极鲜酱油、盐、青椒、小米辣、白糖拌匀。

4 将调好的麻辣调料汁加在菜品表面，再撒点葱花就可以上桌了。

变变变
麻辣凉粉拌鲜鱿
麻辣凉粉拌鸡片
麻辣凉粉拌去骨凤爪
麻辣凉粉拌肉皮
麻辣凉粉拌鸭舌

│ 小秘密 │
1 垫底的可以是任何一种凉粉。
2 买不到凉粉也可以用面皮或粉条代替。

黄豆山药炖蹄花

前段时间出去玩碰见乡下赶场，无意间发现了一个老乡背着一背筐干黄豆，是那种黑眉毛黄豆。这黄豆可不是一般市面上卖的那种圆圆的黄豆，而是四川的土黄豆。虽然相对较小但味道和那种普通黄豆可大不一样，不管做豆腐还是炖汤那都是香气四溢的。于是我果断买了20斤，这种机会火哥是绝不会放弃的哦。

| 主 料 |

酱猪蹄500克，土黄豆100克，山药仔50克。

制作过程

1 酱猪蹄温水泡10 分钟，洗净后从中间砍开。

2 酱猪蹄下锅。

3 土黄豆洗净后下锅。

4 山药仔下锅后小火炖4小时就可以吃了。

变变变

山药炖猪蹄
黄豆山药炖土鸡
黄豆山药炖排骨
酱猪蹄炖牛蒡
酱猪蹄炖藕

| 小秘密 |

1 没有酱猪蹄可以换成鲜猪蹄。

2 无需再添加任何调料。

3 若嫌油腻，可以搭配酸辣蘸水。

如何清洗肥肠

合格

很多朋友都说，对肥肠是又爱又恨，喜欢吃肥肠但又觉得外面的肥肠清洗不够干净，想在家自己做又不得其法。针对这些问题，火哥真是有必要搞一个肥肠专题，不但教如何有效快速清洗肥肠，而且将成都最知名的几道肥肠菜品、小吃教给大家，例如肥肠豆汤、大蒜烧肥肠、肥肠粉、干锅肥肠。如何清洗肥肠就是专题的第一期。一切美味都需从原料开始，所以不要嫌麻烦，动手吧！

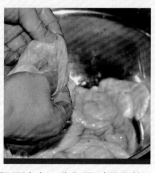 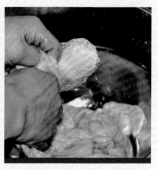

1 新鲜肥肠买回家以后，需要翻肠洗净。我们平时看见的肥肠其实是屠宰场已经翻过一次的，光滑的一面是肠内壁，而有油的一面才是肠外壁，肠外壁的油又叫肠油，现在翻肠的目的就是去除多余的肠油和污秽，这一步是必须的，否则猪大肠永远洗不干净！

2 翻肠是从粗的一头开始，有点像我们平时卷袖子的方式。

3 翻到10厘米左右就可以往里面灌水了，利用水的重力就可以很轻松地将整个肠子翻面。

4 翻面后，肠油和各种污秽就一目了然了。去除肠油时可以根据自己喜好，重口味可以多保留一些，不喜欢油腻的可以少保留一些。不建议全部清除干净，如果完全将肠油清除干净肥肠就不好吃了。污秽和肠油清理后参照步骤2、步骤3将肥肠翻回去，使光滑的一面朝外并沥干水分。

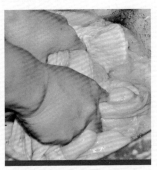

5 给翻面后的肥肠加上盐，可以适当多加点。这时，加盐是为了便于清洗肥肠而不是给肥肠码味。

6 再加点醋，我一般用的红醋。家里没有红醋的可以用白醋。不建议用一般的食醋，因为普通食醋会让肥肠变黑而影响成菜的美观。

7 加了醋和盐后，就可以给肥肠"按摩"啦，直到手上会有油腻腻的感觉。

8 反复搓揉肥肠几分钟后就可以用清水洗净了。

9 洗净后的肥肠不能有咸味和醋味，反复多换水就可以做到。

10 洗净后的肥肠冷水下锅汆水，记得加姜片、花椒、白酒。

11 肥肠汆透至断生即可，不宜久煮。

12 捞出，备用。雪白的肥肠看着都舒服啊！

大蒜烧肥肠

说起烧肥肠，你肯定马上会联想到青笋烧肥肠、土豆烧肥肠这类普通餐馆都有的菜品。火哥认为，如果吃过这道纯粹的烧肥肠后，你会对那些满是油汤汤、素菜永远比肥肠多的菜失去兴趣！道理很简单，因为这道菜原料全部采用肥肠的最精华部分——肥肠头，也只有这种纯粹的烧制方法才更能体现出肥肠的原汁原味，这种口感和香浓是无法用文字来描述的！

| 主 料 |

鲜猪肥肠肠头1500克，独头蒜150克。

| 调辅料 |

菜籽油少许，桂皮5克，八角3克，汉源花椒少许，香叶1克，老姜15克，白酒20克、郫县豆瓣酱40克，糖色15克。

制作过程

1 汆水后的肥肠肠头切块，下入五成热的油锅中将肥肠煸香。

2 加入桂皮、八角、汉源花椒、香叶、老姜、白酒煸炒。

3 肥肠全部吐油并微微发脆时，加入郫县豆瓣酱继续煸炒至出香出色。

4 加入糖色和清水。

5 加水的同时加入去皮的独头蒜，大火烧开后转中小火加盖焖1个小时左右。

6 起锅前用大火收汁后出锅装盘。

变 变 变

大蒜烧猪肚
大蒜红烧鸡
大蒜烧土鸭
大蒜烧排骨
大蒜烧猪蹄

| 小秘密 |

1 1500克鲜猪肥肠去油洗净，汆水后估计只有500克左右。

2 菜籽油切忌不要加太多，肥肠自身油比较多。

3 烧菜加水要一步到位，中途不可再加。

4 喜欢肥肠熟软口感，可以延长烹制时间。

5 肥肠吃完后，汤汁千万不要浪费了，加点煮好的面条就是一碗超级美味的红烧肥肠面。

| 主　料 |

新鲜猪肥肠1500克，耙豌豆250克。

| 调辅料 |

猪油适量，胡椒粉3克，盐5克。

| 蘸水料 |

红油50克，花椒粉2克，酱油15克，醋5克，
白糖3克，味精1克，葱花5克。

制作过程

1 洗净、氽水后的肥肠在锅里加清水和老姜，大火煮2小时左右，直到汤白肥肠熟软。

2 煮好后的肥肠捞出，凉后改刀切块，备用。

3 锅内下猪油。

4 五成热下入耙豌豆反复翻炒，直到耙豌豆炒香。

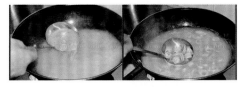

5 加入煮肥肠的原汤大火烧开。

6 加入切好的肥肠，加胡椒粉和盐。

7 若嫌油腻，可以酸辣蘸水蘸食。

8 享受吃蘸水肥肠、喝汤的乐趣吧。

肘子豆汤
白肉豆汤
拐肉豆汤
猪肺豆汤
猪肚豆汤

肥肠豆汤

　　很多来过四川的朋友只知道成都的肥肠粉好吃出名，其实在老成都心里肥肠粉只能算是小吃而不能当顿，一碗肥肠粉下肚总感觉肚子还是空的。而火哥的这道肥肠豆汤才是绝对的平民便餐的主力军，几块钱一碗的肥肠豆汤加一个凉拌荤菜，外带一个小素菜就是很多常年工作在酒桌上的"天麻"（成都话：意指那些天天喝醉的人）人士一顿真正可以吃饱的便餐。其实，老百姓真正喜欢的并不是那些高档而华丽的装修和餐具，好吃实在的东西才最具有群众根基！

| 小秘密 |

1 肥肠煮时可以加入猪龙骨，这样汤味更浓。
2 耙豌豆一定要先放油下锅炒制，熬出的汤味道才更香。
3 没有猪油可以用色拉油代替。
4 肥肠蘸水可以有很多种，按自己喜好调制。

变变变
家常泡菜腰花
家常泡菜鸡杂
家常泡菜鱼条
家常泡菜毛肚
家常泡菜肉片

家常泡菜猪肝

猪肝在我家的食谱中算不上绝对的主角，但肯定也是常客，每隔一两周都会做上一份，最常做的就是这种家常泡菜猪肝。这种做法的最大好处就是泡菜和豆瓣的香味完全掩盖了猪肝本身的腥味，而快速翻炒保留了猪肝的鲜嫩这一特点。当然猪肝这东西吃多了绝对不行，适当吃对身体的好处还是很多的。

制作过程

1 切片的泡姜、大蒜，切段的泡辣椒、葱段，以及家常剁椒豆瓣、花椒。

2 猪肝切片后用酱油、料酒、淀粉码味10分钟。

3 锅内下菜籽油和猪油，待混合油六成热下花椒。

4 下家常剁椒豆瓣炒香出色。

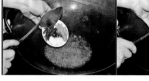

5 下泡姜、泡辣椒、大蒜炒香。

6 加入码味后的肝片。

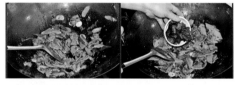

7 猛火快炒并加白糖。

8 木耳和青笋片下锅，加入葱段后快炒起锅装盘。

| 主 料 |

鲜猪肝200克，青笋片100克，水发小木耳50克。

68

| 码味料 |

酱油10克，淀粉8克，料酒10克。

| 调辅料 |

菜籽油适量，猪油适量，花椒少许，家常剁椒豆瓣20克，泡姜15克，泡辣椒20克，大蒜10克，白糖3克，葱段10克。

| 小秘密 |

1 切猪肝一定要大小和厚薄均匀，否则这道菜从开始就注定失败。

2 猪肝码味后下锅前一定要再次拌匀。

3 猪肝下锅后一定要猛火快炒至断生即可，不可炒得过久。

4 炒这道菜用混合油是最佳方案，若没有猪油用纯菜籽油制作也行。

5 没有家常豆瓣酱就用郫县豆瓣酱代替。

| 主 料 |

鲜猪肝200克。

| 调辅料 |

甜面酱20克，淀粉10克，白糖3克，盐2克，料酒10克，菜籽油适量，葱花50克。

制作过程

1 新鲜猪肝切片后加入甜面酱、淀粉、白糖、盐、料酒码味。

2 拌匀后码味10分钟。

3 葱花装盘打底。

4 菜籽油五成热时将猪肝下锅，猪肝下锅前需再次拌匀。

5 猪肝下锅后推散，猪肝滑散的同时基本就熟了，此时猪肝的口感最鲜嫩。

6 将猪肝捞出沥油后装盘。

酱香猪肝

简单来说，但凡猪肝菜品的成败有三大技术问题：第一是切片，第二是码味，第二是火候，以这道酱香猪肝为例，有火哥指导肯定一次成功！

变变变

酱爆肉片
酱爆鸡片
酱爆鸭肠
酱爆牛肉
酱爆腰花

| 小秘密 |

1 成菜后及时食用，因为猪肝凉后口感会变老。

2 如果购买的甜面酱比较咸，就不要再加盐了。

3 码味的料酒如果换成红葡萄酒会变得别有一番滋味。

4 垫底的葱花也可以换成薄荷或其他芳香类原料。

怪味肚丝

▌主 料 ▌

熟猪肚200克,紫甘蓝丝20克,甜椒丝20克,小葱段20克。

▌调辅料 ▌

芝麻酱20克,鲜汤适量,白糖15克,盐3克,味精1克,酱油5克,醋15克,花椒粉0.5克,辣椒油20克。

制作过程

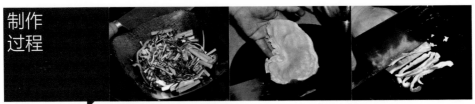

1 用紫甘蓝丝、甜椒丝、小葱段打底。

2 煮至熟软的猪肚半个。

3 熟猪肚切丝。

4 切好的肚丝装盘。

5 调味碗中加入芝麻酱1大勺。

6 再加入煮猪肚的原汤1勺。

7 加入白糖、盐、味精。

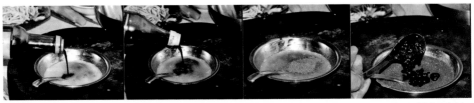

8 再加入酱油。

9 加入醋。

10 加入花椒粉。

11 最后加入辣椒油并调匀。

12 将调好的味汁浇在肚丝上,这道菜就大功告成了。

怪味鸡丝
怪味凤爪
怪味鱼柳
怪味牛筋
怪味鸭掌

▌小秘密 ▌

1 煮熟的猪肚最好当天使用。

2 不可将猪肚煮得过软。

变变变

豆瓣腰片
豆瓣鹅肠
豆瓣郡把
豆瓣毛肚
豆瓣鸡杂

| 主　料 |

鲜猪腰2个，茶树菇50克，韭菜花50克。

| 调辅料 |

盐1克，老姜片10克，料酒15克，家常剁椒胡豆瓣酱30克，美极鲜酱油1克，白糖3克，味精2克。

制作过程

1 将切段的韭菜花和茶树菇放油、加盐炒至断生。　2 炒好的韭菜花和茶树菇装盘打底。

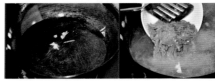

3 锅内加清水、姜片、料酒大火烧开。　4 将切好的猪腰放入滚水中汆透，切忌不要久煮，断生。

5 用漏勺将猪腰捞出沥干水分放在打底的菜上。　6 淋上用家常剁椒胡豆瓣酱、美极鲜酱油、白糖、味精调制的味汁即可。

豆瓣凤尾腰花

72

　　那天，很久没有吃猪腰子的火哥突然想吃这个据说可以补肾的东西（我吃这个可不是为了补肾，而是喜欢猪腰那种嫩脆的感觉）。到了菜市场的猪肉摊前一问，才知道现在猪腰子已经不是论斤卖而是论大小和个数卖了，细算下来价格涨了不少。市场经济条件下决定商品价位的肯定是需求，看来这个猪腰已然成了紧俏商品！选货、交钱、交货、走人，简单的几步后两块猪腰就装进火哥家的菜篮子。于是也就有了今天这道色香味俱全的老成都豆瓣凤尾腰花。

| 小秘密 |

1 韭菜花和茶树菇不可炒得太久，断生即可。
2 汆猪腰时火要大、汤要多。
3 制作猪腰时，下锅后水开即可捞出。
4 猪腰捞出后一定要趁热沥干水分，再装盘。

我家的年味

随着气温降低、冬至来临时，四川人一年一度的腌腊年货制作也就逐步拉开了序幕。各种口味的香肠、各式烟熏腊肉、酱肉、风干肉……挂上了各家的阳台。火哥家每年也会制作很多年货，火哥家的年货和普通家庭的年货有一个最大的区别——调料全是自己调味的，不像很多人习惯用外面买来的工业化生产的调料。

风吹板鸭

风吹肉

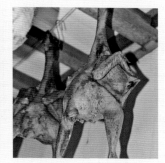

风干鸡

酱排骨

酱肉自然风干

自然风干

晾香肠

烟熏拱嘴

川味麻辣香肠

　　每年农历的十月底开始，随着气温的降低，各种口味的香肠、各式烟熏腊肉、酱肉、风干肉……陆续挂上了各家的阳台。好吃的东西需要大家分享！

| 主　料 |

去皮猪前腿肉1000克，肠衣适量。

| 调辅料 |

超细二荆条辣椒粉30克，超细子弹头辣椒粉10克，超细汉源花椒粉2克，盐30克，60度以上的四川浓香型纯粮食白酒25克，冰糖粉10克，葡萄糖粉20克，特制五香粉5克，鸡粉5克。

制作
过程

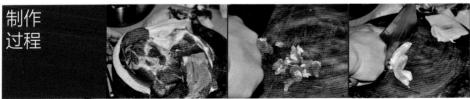

1 优质新鲜去皮猪前腿肉一块。　　2 将肥瘦肉分开来切，瘦肉可以稍切大片。　　3 肥肉按瘦肉的一半大小来切。

4 切好的肉片放在一起调味并拌匀。

5 将调料加入肉中后充分拌匀。

6 优质香肠肠衣用温水泡发1小时后套在灌装筒上。

7 套肠衣时注意不要扭曲。

8 灌香肠时要注意粗细均匀和松紧一致，切忌不能灌太紧，稍微有弹性即可。

9 用事先准备好的绳子将香肠分段捆扎打结。

10 用消毒后的牙签给香肠扎眼排气。

11 自然风干15天左右。

12 晾干的香肠加水煮30分钟左右，晾凉即可切片。切片后的香肠稍蒸热即可食用。

变变变

川味牛肉香肠
川味鸡肉香肠
猪肉花生香肠
麻辣鸭肉香肠
麻辣羊肉香肠

| 小秘密 |

1 辣椒粉必须是全熟的无霉变优质超细辣椒粉，否则你的香肠在制作之初就已经被各种细菌和霉菌污染了。

2 花椒粉必须是全熟的汉源超细花椒粉。

3 盐不能选用低钠盐，且每千克猪肉用盐量不能低于25克。

4 白酒必须选择60度以上的浓香型川酒，越好的酒做出来的香肠就越香。

5 冰糖粉不能用绵白糖或细砂糖代替。

6 平均气温在10℃以下就可以制作香肠了。如果气温过高，香肠晾晒过程中容易变质。

7 新鲜香肠经过10多天的风干后就可以陆续开始食用了，随着时间的增加香肠会越来越干，但我个人认为香肠太干了也不好吃，所以当香肠达到自己喜欢的干度后，建议大家把香肠取下来分成小包装，装袋后放冰箱冷冻，这样第二年的夏天你也可以吃到好吃的香肠。

8 晾晒的地点一定要通风，并注意三防：防雨、防鼠、防小偷！

9 猪前夹就是猪前腿肉，这部位的肉根据猪的品种不同肥瘦比例一般为2：8或3：7，用于做香肠最合适。

老成都酱肉

四川人的腊肉大体有三种：烟熏肉、酱肉、风干肉。其中第一种烟熏肉是最复杂的，现在的城市中谁还敢烟熏腊肉啊，那烟冒起来消防队肯定马上就要出动。火哥家的烟熏腊肉是到乡下一个朋友家做的，酱肉和风干肉就是在我工作室的阳台上制作的。现在看着阳台上挂满的香肠、腊肉、风干鸡、风干鸭、缠丝兔……相当满足哦！

| 主 料 |

带皮猪五花肉1000克

| 调辅料 |

四川甜面酱150克，盐20克，醪糟50克，五香粉10克，白酒20克。

制作过程

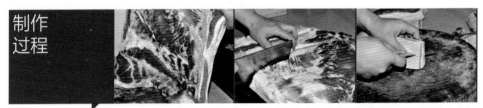

1 上等新鲜带皮五花肉一块。

2 将五花肉切成条状，8厘米左右宽。

3 在每一块肉的上面开口便于挂钩晾晒。

4 加入以调辅料调好的酱料。

5 酱料和猪肉反复拌匀。

6 肉块的每个部位都要用酱料拌匀，拌匀的肉加盖密闭腌制3至5天。

7 将腌制好的酱肉挂在阳台通风处风干，这个过程比较缓慢，一般在半个月以上。

8 酱肉风干后吃之前需要用温水浸泡20分钟再洗净。

9 洗好的酱肉下锅。

10 水开后煮40分钟左右，捞出晾凉后切片即可。

变变变

酱猪头
酱耳朵
酱肘子
酱鸭子
酱尾巴

76

| 小秘密 |

1 因各品牌甜面酱配方的不同和酱制的品种变化等原因，每次大量制作前咸度和口味都需要小批量试制后再根据情况及时调整。

2 平均气温10℃以下才能制作酱肉，否则易变质。

3 腌制过程中需要隔天翻动一到两次，以保证入味均匀。

4 依然注意三防：防水、防鼠、防小偷。

5 风干后的酱肉可以包装紧密放冰箱冷冻室保存，想吃的时候解冻、煮好、切片即可。

变变变
烟熏腊肉煸土豆
烟熏腊肉煸笋干
烟熏猪头煸年糕
烟熏腊肉煸芋头
烟熏腊肉煸粽子

| 主 料 |

熟烟熏腊肉100克，年糕150克。

| 调辅料 |

菜籽油适量，盐2克，干辣椒5克，花椒少许，青蒜50克。

烟熏腊肉煸年糕

　　春节前收到了宁波果妈快递给我的一大箱宁波手工年糕，真是太开心啊！通过微博我在结识了众多来自全世界粉丝的同时，也时不时收获来自于各地的美食，火哥能不开心吗？ 在此谢谢果妈！火哥一定会更加努力多多推出各种美食方法，和大家一起将丰富餐桌的任务进行到底！

| 小秘密 |

1 年糕片在锅里煎一下，这样下锅炒时就不会粘在一起了。
2 腊肉选稍微肥点的，口味更佳。
3 青蒜下锅炒至断生即可。
4 全程使用中火。

制作过程

1 浙江年糕、我家的
烟熏腊肉和青蒜。

2 年糕切片。

3 煮熟的烟熏腊肉
切片。

4 锅内加少许菜籽油
烧至五成热时煎年糕
片，煎的时候撒盐。

5 锅内再次加少许菜
籽油，油温五成时下
入干辣椒和花椒炝
锅，炝香后下入腊肉
片煸炒。

6 腊肉煸香出油后，
加入年糕。

7 加入青蒜后加盐，
在锅里快速炒匀。

8 起锅装盘。

| 主 料 |

熟烟熏腊肉50克，红皮萝卜500克。

| 调辅料 |

菜籽油少许，盐2克，青蒜30克，水淀粉20克。

制作过程

1 红皮萝卜、熟烟熏腊肉一小块、青蒜。

2 烟熏熟腊肉切粗丝。

3 红皮萝卜去皮后切粗丝。

4 锅内加少许菜籽油，烧至五成热下入熟烟熏腊肉煸至吐油出香味。

5 萝卜条下锅，适当加盐、水后加盖焖10分钟。

6 待萝卜熟软、汤汁浓厚醇香时，加入青蒜段，以水淀粉勾芡起锅。

| 小秘密 |

1 依据腊肉咸度增减盐的用量。
2 腊肉下锅后不可煸得过干。
3 可以用任何品种的萝卜或青菜头制作这道菜。
4 全程使用中火。

变变变
腊肉烩青菜
腊肉烩饵块
腊肉烩粉丝
腊肉烩儿菜
腊肉烩面块

腊肉烩萝卜

俗话说"冬吃萝卜夏吃姜，少叫医生开药方!"到了冬天就不得不说说关于萝卜的很多故事和菜式了。记得火哥小时候盼望萝卜大量上市并不是想吃，而是给我的萝卜枪准备弹药。那时候的萝卜是3分钱一斤吧，打萝卜枪最好的是青头萝卜，一群小伙伴每人一把萝卜枪，口袋里装满切好的萝卜片，在小街上、巷子中跑来跑去、打来打去，确实热闹也好玩。那时的小朋友基本不用担心玩耍时会被汽车撞到!那时的小朋友不用熬更守夜做作业!那时的小朋友路边捡到一分钱都要交给警察叔叔!那时的小朋友吃的基本都是有机食物……

变变变
烟熏拱嘴煸土豆条
烟熏拱嘴煸玉米
烟熏拱嘴煸茄子
腊肉煸豆干
青椒煸拱嘴

烟熏拱嘴煸豆干

四川有些餐饮店或小吃店门口常挂有一块招牌介绍自家店铺的口味、特色或典故。一种如：本店用的鸡如何如何土、如何如何香、如何如何会飞，本店用的猪来自哪座大山，本店用的菜出自哪一处青山绿水之地。还有一种更玄的，是说店铺或店中某种菜品来历的，我见过最好笑也是最能吹的是说（这是一家卖卤菜的店铺）他家的卤水配方来自于几十代单传，其老卤水是某某朝代的老祖宗为避战祸而深埋于自家院中某棵古树下，他们这些后人在不经意间发现并继续使用，将自家这发展了几百上千的手艺发扬光大的……

火哥的这道菜就来讲烟熏猪拱嘴和豆腐干之间的爱情故事，这篇故事不是我来写，而是发动大家在闲暇之余动动脑筋，让我们集思广益成全了猪八戒和豆腐干吧！

| 主 料 |

烟熏猪拱嘴150克。

| 调辅料 |

菜籽油少许，韭菜80克，烟熏豆腐干100克，干辣椒3克，花椒少许，盐2克，味精1克。

制作过程

1 生的烟熏猪拱嘴。　2 烟熏拱嘴洗净，煮熟后晾凉均匀，切片。

3 韭菜洗净后切段，豆干切条后稍加盐码味。　4 锅内下少许菜籽油，烧至五成热加入干辣椒和花椒炝香后下猪拱嘴快速煸炒。

5 烟熏豆腐干下锅后快速煸炒让辣椒、花椒和拱嘴并豆干亲密接触，让豆干和拱嘴吻得更加彻底！　6 韭菜段下锅后加盐、味精，快速炒匀即可出锅。

| 小秘密 |

1 煮四川腊肉前一定要先用温水浸泡、这样煮出来的腊肉口感才好。
2 韭菜也可以用芹菜或青蒜代替。
3 豆腐干选硬一点的炒出来才好吃。
4 烟熏猪拱嘴下锅后不能煸得太干。

| 主料 |

培根片80克，茄子200克。

| 调辅料 |

青蒜20克，美人椒30克，蚝油30克，水淀粉20克。

制作过程

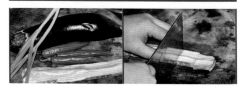

1 茄子、青蒜、美人椒、培根片。

2 培根片改刀成小片。

3 茄子切成滚刀块。

4 青蒜切成段。

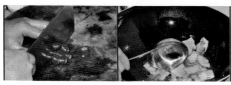

5 美人椒切成段。

6 锅内加少许色拉油，烧至五成热时加入培根片。

7 培根片在锅中用中火煸香吐油后加入茄子、美人椒。

8 再加入清水和蚝油后炒匀。

9 这时盖上锅盖焖烧5分钟左右，让茄子熟软。

10 茄子烧熟后下入青蒜段炒匀，水淀粉勾芡后装入烧烫的煲仔中即可上桌。

变变变
培根土豆煲
培根粉丝煲
培根豆芽煲
培根青笋煲
培根萝卜煲

培根茄子煲

　　每到快过年的时候，漂泊在外的人们的乡愁就会再一次涌动，谁不想回家过年啊？对于家乡的一碟泡菜、一片香肠、一块烟熏腊肉或是川味麻辣烫中一根刚烫好的鸭肠……只要你对这些美食的思念从大脑深处冒出来时，绝对都能激起一阵阵肠胃的搅动。这道培根茄子煲是我思考良久给海外买不到中国腊肉、香肠的朋友们的一道临时解馋方案，当然国内的朋友也可以试试这道菜。尝过就知道外国的烟熏培根和中国烟熏腊肉之间的区别了，让我们做起来吧！

| 小秘密 |

1 培根不可炒得过久。

2 喜欢吃辣的，可将美人椒换成小米辣。

3 若家里没有煲仔，也可装入碗中直接上桌食用。

我们身边的牛羊肉

黄牛

水牛

牦牛

在四川，我们身边最常见的牛是黄牛、水牛、牦牛。黄牛作为常用肉牛被大多数人所喜爱，四川很多名菜水煮牛肉、粉蒸牛肉、卤牛肉等的制作中，黄牛肉是首选。过去，主要用于耕田的水牛早已被拖拉机所代替，那种春日耕作的场景已成为儿时的记忆，现在只有一些火锅店老板为了吹嘘他家毛肚的正宗和好吃才会用到水牛二字。水牛毛肚脆嫩化渣早也成为业界共知，但水牛都没有了哪儿来那么多水牛毛肚？这是摆在我们面前的事实。从成都出发驱车100多公里，就可以进入阿坝藏族自治州的管辖范围。那里有与天连成一片的广漠草原，草原上星星点点数不尽的是高原牦牛。当我们还在纠结虫草价格太高吃不起时，对高原上的牛而言那就是草、那就是食物，它们任性地啃着、嚼着、享受着……

变变变
油淋剁椒鹅肠
油淋剁椒肚片
油淋剁椒黄喉
油淋剁椒腰片
油淋剁椒青笋

┃ 主 料 ┃

千层肚300克。

┃ 调辅料 ┃

煮毛肚料：姜片20克，花椒少许，白酒5克。

┃ 调味料 ┃

花椒1克，二荆条干辣椒5克，小米辣干辣椒5克，蒜末10克，菜籽油适量，盐2克，美极鲜酱油3克，白糖1克，味精1克。

制作过程

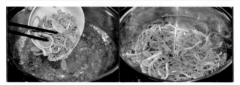

1 锅内水中加入姜片、花椒、白酒后烧开后，下入洗净、切丝的千层肚。

2 大火煮几分钟后关火，此时千层肚不要马上捞出来，让它在汤中慢慢降温直到冷却。

3 捞出的千层肚控干水分，装盘。

4 将花椒、二荆条辣椒、小米辣辣椒剁细。

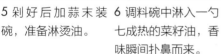

5 剁好后加蒜末装碗，准备淋烫油。

6 调料碗中淋入一勺七成热的菜籽油，香味瞬间扑鼻而来。

7 碗中再加入盐、美极鲜酱油、白糖、味精并调匀。

8 淋在控干水分的千层肚上就可以上菜了。

油淋剁椒千层肚

　　来成都吃过火锅的朋友们都知道有几样菜是必点的：千层肚、鹅肠、鳝鱼、黄喉、老肉片……那天有朋友问我一个问题，这些火锅菜只烫火锅的时候吃吗？它们能做成中餐的菜品吗？我给了他肯定的答复：能！不但能做而且可以做出很多花样，就像这道简单的油淋剁千层肚。

　　这道菜的特点是麻辣香鲜脆俱全，制作的工序也相对简单。在炎炎夏日嚼着千层肚，喝点冰啤酒也算一件很惬意的事了，大家不妨试试。

┃ 小秘密 ┃

1 千层肚是去膜、切丝后的熟牛毛肚。

2 千层肚氽烫后原汤自然冷却，这个步骤很重要。这样可以保证千层肚的脆嫩。

3 辣椒和花椒不可剁得太细。

4 调味要等到油烫辣椒温度适当降温后再进行。

麻婆豆腐

四川厨师界有一个说法：具有麻、辣、烫、香、酥、嫩、鲜、活八字箴言的麻婆豆腐是川菜的脸！一句话就道出了麻婆豆腐这道看似简单的川味家常菜在川菜中的地位。我不敢说自己的这道麻婆豆腐有多正宗，但至少我做的这道麻婆豆腐十多年来还没有丢过我师父他老人家的脸哦！

┃ 主　料 ┃

豆腐500克。

┃ 调辅料 ┃

盐2克，菜籽油适量，猪油少许，郫县豆瓣酱20克，豆豉3克，辣椒粉3克，姜蒜末25克，青蒜段20克，牛肉臊子50克，鲜汤适量，味精2克，水淀粉40克，花椒粉少许。

制作过程

1 豆腐切小块，冷水下锅加盐煮透。

2 煮透的豆腐块捞出，备用。

3 锅内下菜籽油、猪油成混合油。

4 混合油烧至五成热时，加入郫县豆瓣酱炒香。

5 加入豆豉炒香。

6 加入辣椒粉，提色、提香、提辣。

7 加入姜蒜末炒香。

8 加入牛肉臊子。

9 所有调料下锅后中火炒匀。

10 适量加入鲜汤。

11 下入煮熟的豆腐

12 轻推豆腐

13 快速将调料和豆腐推匀后再烧几分钟。

14 第一次和第二次水淀粉勾芡。

15 加入青蒜段轻推。

16 第三次水淀粉勾芡，加入味精。

17 起锅。

18 撒上花椒粉，这道麻婆豆腐就算大功告成了！

变变变
麻婆脑花
麻婆土豆
麻婆米凉粉
麻婆蹄花
麻婆肉花

| 小秘密 |
1 这道菜用老豆腐或嫩豆腐，甚至豆花都行。
2 混合油就是菜籽油加猪油。
3 豆腐下锅后铲锅轻推时一定要快且温柔。
4 三次勾芡是为了豆腐裹汁更均匀。
5 全程大火烧制。

酸汤肥牛

还记得火哥初次接触肥牛时，用筷子夹着那肥瘦相连的宽长牛肉薄片浸入火锅汤料当中，口中默默地从一念到十后将卷曲的肥牛从通红的火锅汤料中夹出饱蘸香油蒜泥后，放入那久等的唇齿之间，上下牙默契地咀嚼将那醇香的油脂挤向舌尖，牛肉碎了！唇齿休息了！舌头满足了！火哥舒服了！手中的筷子却又在行动了……

86

| 主料 |
肥牛片300克。

| 调辅料 |
猪油适量，泡酸萝卜150克，泡青菜100克，泡子姜50克，料酒20克，白胡椒粉10克，葱花5克，小米辣2克，鸡精3克。

| 小秘密 |
1 炒泡菜这一步相当关键，泡菜炒出香味才行，可不能偷懒哦！
2 肥牛片不可煮太久，下锅后汤开即可。
3 若不喜欢猪油可用色拉油代替。
4 小米辣用于调节色彩和辣度，可依据个人口味增减。

制作过程

1 泡子姜、泡青菜、泡酸萝卜和肥牛片来张集体照。　2 锅内下适量猪油。

3 锅中猪油六成热时下入切好的泡子姜、泡青菜、泡酸萝卜，煸炒。　4 泡菜在锅内大火爆炒至出香味。

5 炒好的泡菜加清水，用大火烧开煮5分钟左右，加入白胡椒粉。　6 滚开的酸汤中加入肥牛片和料酒，起锅前加鸡精。

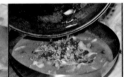

7 将煮好的肥牛片起锅，撒上葱花和小米辣。　8 炒锅洗净后加入适量猪油，烧至六成热淋在葱花和小米辣上，这道菜就做好了。

变变变
酸汤圆子
酸汤鸡片
酸汤羊肉
酸汤肉片
酸汤鸭掌

| 主 料 |

莼菜50克，牛肉蓉50克，番茄30克。

| 调辅料 |

牛肉原汤1000克，盐3克，胡椒粉1克，鸡粉2克，水淀粉30克。

制作过程

1 汆水后的莼菜、用牛肉原汤调散的牛肉蓉、剁细的番茄。

2 牛肉原汤下锅并加入牛肉蓉。

 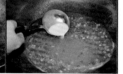

3 加入番茄烧开后撇去浮沫。

4 水淀粉勾芡并加入盐、胡椒粉、鸡粉。

5 最后加入莼菜。

6 起锅装碗。

牛肉莼菜羹

如果你有机会到了四川省凉山彝族自治州马湖，一定要去试试当地一大特产——马湖莼菜。

这道汤用的莼菜就是在马湖纯天然环境中生长的。为了此菜，火哥特意选用了慢火熬制的牦牛肉汤，我要让牛肉汤的香浓伴随着莼菜在舌间滑动，那滋味让人想着就开心啊。

变变变

牛肉香菜羹
鸡米莼菜羹
鱼肉莼菜羹
牛肉萝卜羹
肉片莼菜羹

| 小秘密 |

1 这道菜因为是羹汤，所以勾玻璃芡最佳。
2 此菜必须用牛肉原汤或高级清汤。
3 番茄事先去皮。

原汤羊肉火锅

　　大多数成都人都有冬至吃羊肉的习惯，据说这时吃了羊肉整个冬天都不冷。火哥本人也是牛羊肉的绝对拥趸，不过我是一年四季有机会就吃，这个时候那就更要吃了！

　　成都人羊肉火锅的主要分为原汤羊肉火锅和红汤羊肉火锅两种。吃得最多、生意最火的还是原汤的羊肉火锅。

| 主　料 |

羊前腿1个（约2500克），大白菜、蘑菇、白面锅盔、萝卜、青笋、豌豆尖、菜头各适量。

| 调辅料 |

猪油适量，姜片30克，葱段20克，枸杞子、大枣各适量。

| 蘸　料 |

小青椒30克，小米辣30克，白豆腐乳5克，香菜30克，盐1克，味精1克。

| 小秘密 |

1 山羊的膻味重，绵羊膻味轻，选购羊肉时一定要买稍肥的，这样肉质更好。

2 炖羊肉的锅要够大，因为水需多加；一定要在步骤2时撇去浮沫，如果等到水完全开后浮沫就融入汤中了，那么这锅汤也就不完美了。

3 配菜可以多种多样，想烫什么就烫什么。

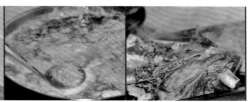

制作过程

1 羊前腿1个。

2 羊腿冷水下锅用大火烧开，汤开之前撇去浮沫。

3 大火炖1小时后，将煮熟的羊肉捞出，切忌煮太久，否则会影响口感。

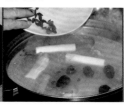

4 羊腿肉凉后去骨。

5 剔下来的羊肉切片，装盘备用。

6 炒锅下猪油100克，烧至六成热下入葱段和姜片爆香。

7 爆香的油锅中加入羊肉汤，大火烧开、色白后倒入电磁炉锅中，加入枸杞子、大枣就可以上桌了。

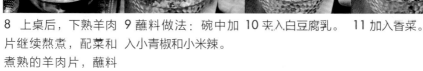

8 上桌后，下熟羊肉片继续热煮，配菜和煮熟的羊肉片，蘸料享用。

9 蘸料做法：碗中加入小青椒和小米辣。

10 夹入白豆腐乳。

11 加入香菜。

89

12 加盐、味精。

13 再加点锅里的热汤。

14 用筷子拌匀，羊肉汤蘸料就做好了。

变变变
原汤牛肉汤锅
原汤土鸡汤锅
原汤蛇肉汤锅
原汤驴肉汤锅
原汤老鸭汤锅

我们身边的鸡肉

合格

选购
土公鸡

合格

1 正宗乡下农家土公鸡一定是放养的。因为放养过程中土鸡充分接触阳光，所以毛色光滑艳丽。

2 大而鲜红的鸡冠表示它身强体壮。

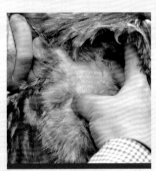

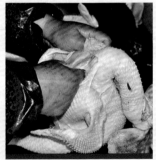

3 大腿部粗壮有力，毛下肉质紧实、无皮肤病。

4 鸡爪皮肤粗糙，指尖宽而长，有较长的飞爪。

5 宰杀后皮肤毛孔粗大，体内有少量土黄色鸡油。

选购
土母鸡

合格

1 正宗乡下农家土母鸡毛色光滑艳丽，也一定是野外放养的。

2 鸡冠红润，眼睛有神。

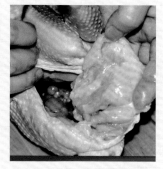

3 毛下肉质紧实、腹部无多余赘肉、无皮肤病。

4 鸡爪皮肤粗糙，指尖宽而长，无飞爪。

5 宰杀后皮肤毛孔粗大，腹内左右各有一块土黄色板实鸡油。

煮鸡的
技巧

合格

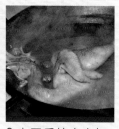

1 公鸡洗净后冷水下锅，加入料酒、花椒、老姜大火烧开。

2 水开后转小火加盖焖煮25分钟左右即可。

3 鸡太大可以用筷子插进鸡身内测试，如果筷子插入后拔出没有血水冒出，就说明鸡煮熟了。

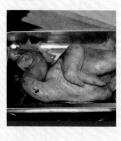

4 捞出后，自然冷却即可。

麻辣心舌
麻辣郡肝
麻辣腰块
麻辣鸭舌
麻辣凤爪

| 主 料 |
熟鸡块500克。

| 调辅料 |
小葱20克，酱油8克，盐3克，花椒粉少许，白糖2克，辣椒油80克，芝麻油5克，鸡汤少许，味精2克，熟白芝麻少许，去皮脆花生米少许。

麻辣鸡块

这道麻辣拌鸡块以前是过年时的大菜，川人的年夜饭上这道菜绝对是凉拌菜的主角！过去，不像现在去菜市场花钱就可以马上买到一只打理好的光鸡，那时卖鸡的都只卖活鸡，买回家以后只能自己杀鸡、烫鸡毛、去内脏。这件事绝对是家里男人的事情，每次我爸在小院中杀鸡、烫鸡毛，我都在旁边看，想起这些就好像是昨天发生的事……

制作过程

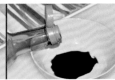

1 小葱切成葱段垫底。

2 将酱油、盐、花椒粉、白糖、辣椒油、芝麻油、鸡汤、味精放入调味碗中，搅匀。

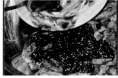

3 将调匀的调料加入鸡块中拌匀。

4 装盘后撒上少许熟白芝麻和去皮脆花生米即可。

| 小秘密 |
1 砍鸡块一定要大小均匀。
2 还可以加入素菜一起凉拌，例如青笋、黄瓜等。

姜汁热窝鸡

还记得小时候家人团聚时一说起吃热窝鸡，我就要傻笑。也不知道为什么正在孵蛋的老母鸡就成了我当时对热窝鸡的理解，甚至还想在这道菜里把鸡窝找出来！呵呵……

制作过程

1 锅内菜籽油烧至六成热时，先下花椒再下红油家常豆瓣酱，炒香。

2 加入老姜粒炒香。

3 加鲜汤、料酒后下入鸡块，大火烧开后转中火继续烧至入味。

4 加入已切滚刀并事先氽熟的青笋块。

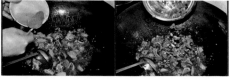

5 将水淀粉、醋、盐、鸡精调成匀，勾芡。

6 撒葱花，起锅装盘。

变变变

姜汁热窝肘子
姜汁热窝三鲜
姜汁热窝鱿鱼
姜汁热窝土豆
姜汁热窝鸭脖

93

| 小秘密 |

1 这道菜因为加了豆瓣酱所以也叫红油姜汁热窝鸡，如果不加豆瓣酱就叫原味姜汁热窝鸡。
2 一定要按照先下花椒再下红油家常豆瓣酱的顺序，味道才更香。

| 主 料 |

熟鸡块 500 克，青笋块 200 克。

| 调辅料 |

菜籽油适量，红油家常豆瓣酱20克，花椒少许，老姜粒30克，料酒10克，鲜汤适量，水淀粉15克，醋30克，盐5克，鸡精2克，葱花5克。

松茸鸡盅

大家都知道松茸是好东西，一般多是将老母鸡加松茸用砂锅炖汤，这道松茸却用炖盅制作，有新意吧。

┃ 主　料 ┃
肥老母鸡150克，松茸50克。

┃ 调辅料 ┃
高级清汤500克，盐2克。

变变变
香菇鸡盅
虫草鸡盅
松茸乳鸽盅
百合鸡盅
白果鸡盅

制作过程

1 这是来自青藏高原的松茸。　　2 下蛋肥母鸡一只。

3 母鸡肚子上这块油可是宝贝。　　4 剁块后过水汆透。

5 汆熟后洗净并沥干水分。　　6 汆过水的鸡块放入盅中。

7 洗好后的松茸用手撕开。　　8 加清汤后盖好盅盖。

9 下锅隔水蒸。　　10 锅中一定要多加水，盖上锅盖上汽后蒸3小时即可，上菜前加盐。

┃ 小秘密 ┃

1 150克鸡肉是一盅鸡汤的用量，一只鸡可以做很多盅鸡汤。

2 松茸也可以用各种新鲜或干菌子代替。

3 老母鸡不能用市场上那种速成饲料肉鸡敷衍，否则这道鸡汤就完全没有味道了！

变变变
椒麻肚丝
椒麻乳鸽
椒麻青笋
椒麻鸡丝
椒麻鱼条

椒麻鸡

农家的土公鸡都是活鸡整只出售的，小一点的都有四五斤，我们一家三口一顿哪儿能吃完啊。所以，每次买回一只鸡住住是按部位分割保存后，用不同的做法慢慢吃。一只鸡做八道菜或十道菜就成了我家的习惯。

┃ 主　料 ┃

熟鸡腿500克。

┃ 调辅料 ┃

汉源花椒适量，香葱30克，菜籽油少许，鸡汤少许，酱油6克，盐3克，鸡精1克，美极鲜酱油1克。

┃ 小秘密 ┃

1 若不喜欢花椒，可以不加或少加花椒，不过菜名就要改成葱香鸡，同样的美味哦！
2 剁椒麻的花椒必须经过炒制才香。

制作过程

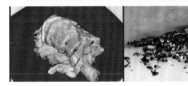

1 鸡腿砍好，装盘备用。　2 花椒在锅内小火炒香，加香葱剁成椒麻，撒在鸡块上。

3 锅内加少许菜籽油烧至七成热，淋在椒麻上烫香。　4 将鸡汤、酱油、盐、鸡精、美极鲜酱油制成调味汁，淋上即可。

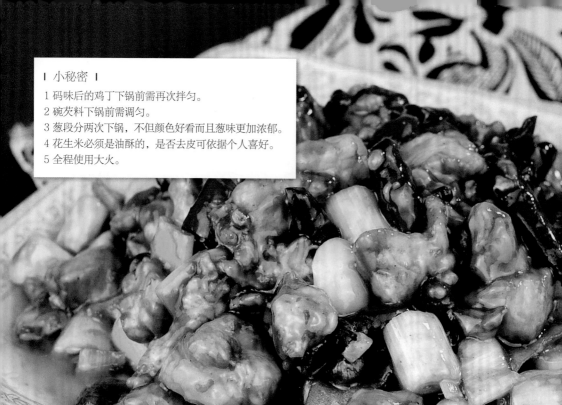

宫保鸡丁

　　宫保鸡丁可谓是川菜中的一个名角，无数的川菜食谱书和美食博客中都有其做法的介绍。火哥也来给大家介绍这道名菜制作过程中需要注意的细节，希望对你有所帮助。

| 主　料 |

鸡脯肉300克，油酥花生米20克。

| 码味料 |

豌豆淀粉5克，酱油5克，料酒5克。

| 调辅料 |

菜籽油适量，干辣椒段5克，花椒少许，大葱段30克，蒜片15克，老姜片10克，

| 碗芡料 |

豌豆淀粉5克，盐2克，胡椒粉少许，白糖25克，醋25克，鸡精1克，鲜汤30克。

切鸡丁

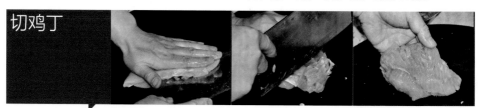

1 鸡脯肉去骨，从中间片开。　2 正面切花刀。　3 下刀注意深度，不可将鸡脯肉切断。

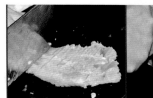
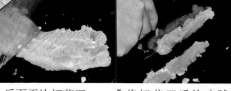

4 反面再次切花刀。　5 将切花刀后的鸡脯　6 均匀切成鸡丁。
　　　　　　　　　　　肉切成条。

**制作
过程**

1 鸡丁加豌豆淀粉、　2 码味时，鸡丁和码　3 调味碗中加入豌豆
酱油、料酒，码味5　味料一定要拌匀。　淀粉、盐、胡椒粉。
分钟。

4 加入白糖。　　5 加入醋、鸡精、鲜　6 锅内菜籽油六成　7 再加入15克大葱
　　　　　　　汤搅匀，碗芡料就调　热时，加入干辣椒　段，以及蒜片、老姜
　　　　　　　好了。　　　　　和花椒炝锅。　　　片炝出香味。

97

8 鸡丁下锅。　　9 需快速炒匀。　　10 全程大火翻炒至　11 勾入碗芡并继续快
　　　　　　　　　　　　　　　鸡丁熟。　　　　速炒匀。

12 加 入 剩 下 的 大　13 最后加入油酥花生　14 起锅装盘
葱段。　　　　　　米炒匀。

变变变

宫保虾仁
宫保肉丁
宫保鱼丁
宫保鸭舌
宫保腰块

辣子鸡

　　我第一次吃这种极端重口味的辣子鸡是在十多年前了，第一筷子下去就被它的麻、辣、鲜、香、酥脆化渣所折服——好吃、好吃、太好吃啦！当初端上来的是一个搪瓷茶盆，表面看全是辣椒和花椒，还疑虑鸡在哪儿啊？结果看朋友们直接将筷子一插到底才知道奥秘，原来全在红红的辣椒下面。那种在辣椒段里面找鸡块的乐趣，也只有亲历者才能体会了……

❙ 主　料 ❙

鸡块300克（带骨剁小块）。

❙ 码味料 ❙

料酒10克，盐2克，五香粉1克，老姜5克。

❙ 调辅料 ❙

菜籽油适量，干辣椒段100克，花椒5克，高度白酒20克，芝麻油10克，葱段15克，味精3克，熟白芝麻3克，酥脆花生米5克。

制作
过程

1 锅内菜籽油烧至六 2 大火快速煸干水分。 3 煸干的鸡块沥油，
成热，下入码味后的 备用。
鸡块。

4 锅内油中加入花椒。 5 再下入干辣椒段，6 加入煸干的鸡块。 7 继续煸炒。
炝香。

8 烹入少量高度白酒，9 调入芝麻油，继续 10 加入葱段、味精。 11 起锅装盘。
炝锅。 煸炒。

12 撒入熟白芝麻、花
生米，即可上菜。

变变变

辣子鸡翅
辣子肉丁
辣子掌中宝
辣子排骨
辣子毛肚

Ⅰ 小秘密 Ⅰ

火哥做的这道辣子鸡是相对保守的一种做法。如果你想尝试自己对麻辣的耐受能力，我有个建议：

1 鸡块码味时加糍粑辣椒和花椒，并适当延长码味时间至3小时。

2 辣椒全部采用最辣的小米辣，并加量。

3 花椒全部采用最好的大红袍，并加量。

鸡米芽菜

很多人去菜市场，看着琳琅满目的货架却不知道该买什么菜。这时，应该反思一下是不是自己心里的菜谱花样太少啊？鸡米芽菜可是成都一家知名餐馆的当家菜，当初他们就靠一个豆芽圆子汤和这道鸡米芽菜打开了市场，多年来生意一直红火。

虽然市场的菜品种类是相对有限的，但是我们的创意是无限的！多尝试新的调料和做法吧，接受并花时间尝试，吸收别人的优点，才是丰富自家餐桌、彻底打开胃口的唯一出路哦！

┃ 主 料 ┃

鸡脯肉200克。

┃ 调辅料 ┃

菜籽油适量，小青椒300克，宜宾芽菜150克，酱油5克，料酒10克，味精2克。

制作过程

1 鸡脯肉剁碎。

2 小青椒切碎。

3 锅内下适量菜籽油，烧至六成热时下入剁碎的鸡米。

4 鸡脯肉煸香后，加料酒和酱油提香提色。

5 加入小青椒段和剁细的芽菜。

6 大火继续煸炒，待小青椒和芽菜的香味完全进入鸡米后加味精，炒匀即可。

变变变

鸡米冬菜
臊子芽菜
鸡米大头菜
鸡米榨菜
鱼丁芽菜

┃ 小秘密 ┃

1 整条芽菜洗净后拧干水分，切碎。这种自己洗净后切碎的芽菜，是不会有沙子的。

2 市售鸡脯肉含水分较多，所以要多煸炒一下，将水汽收干。

3 因为芽菜比较咸，所以菜里不能再加盐。

4 这道菜的特点就是干香、微辣、化渣，成菜是没有水分的哦。

変变变
青椒煸排骨
青椒煸鸡翅
青椒煸肚条
青椒煸鸭子
青椒煸鲫鱼

青椒煸鸡

　　青椒煸鸡对于四川人来说，是再家常不过的一道菜了。选那种老一点、辣一点的小青椒，配以土鸡在锅中慢慢煸炒，让小青椒特殊的香味和辣味缓缓地融入到每一块鸡肉中，等不到上桌直接从锅中夹一块放入那早已垂涎的口中……我不能继续说下去了，个中滋味还是按着下面的具体做法做出一份，自己去体会吧！

┃ 主　料 ┃
鸡块300克。

┃ 调辅料 ┃
菜籽油适量，花椒1克，干辣椒段2克，小青椒段适量，姜片5克，蒜片5克，料酒5克，盐5克，白糖2克，白酒5克，葱段15克，味精2克。

┃ 小秘密 ┃
1 若怕辣，可以将小青椒换成大青椒或甜椒。
2 制作这道菜不可着急，需中火慢慢煸炒。

制作过程

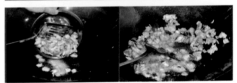

1 锅内菜籽油烧至六成热，下入姜片、蒜片、花椒和干辣椒炒香，下入鸡块煸炒。

2 加入料酒后用中火将鸡块水分煸干。

3 加小青椒段、盐、白糖，继续煸炒。

4 起锅前加一点白酒炝出香味，加葱段、味精即可起锅。

泡豇豆煸鸡翅

四川人爱吃泡菜，好像地球人都知道。四川泡菜不仅凉拌着吃，还可以煮着吃、炒着吃、烤着吃、蒸着吃……总之是无数种吃法。这道泡豇豆煸鸡翅可是我家豆花妹妹的最爱，小朋友经受不住泡豇豆和鸡翅的双重诱惑，对这道菜上瘾已经多年了，若不能定期地给她做那是要引起家庭内部矛盾的。没办法，谁叫火哥在家里的地位低啊，做吧做吧。

好变变
泡豇豆煸凤爪
泡豇豆煸鸭掌
泡豇豆煸掌中宝
泡豇豆煸猪蹄
泡豇豆煸牛肉

制作过程

1 鸡翅洗净后加入老姜、大葱、料酒和盐，码味1小时。

2 锅内菜籽油烧至六成热时，下入鸡翅油炸。

3 油炸至鸡翅颜色金黄时，捞出。

4 锅内下入辣椒油。

5 辣椒油四成热时加入干辣椒段和花椒，炒香后下入鸡翅。

6 泡豇豆切段，下锅。

7 快速炒匀，加入少许料酒炝锅后加白糖、味精，炒匀。

8 起锅装盘上菜。

| 主 料 |

鸡翅500克，泡豇豆200克。

| 码味料 |

老姜片10克，大葱段15克，料酒10克，盐5克。

| 调辅料 |

菜籽油适量，辣椒油少许，干辣椒段10克，花椒1克，料酒10克，白糖1克，味精2克。

103

| 小秘密 |

1 用辣椒油炒这道菜不仅颜色好看、回味悠长，而且可以增强辣味。

2 起锅前加入料酒炝锅的目的是，让泡豇豆和干辣椒、花椒的味道尽快进入鸡翅而使鸡翅入味。

泡菜鸭肠
泡菜毛肚
泡菜黄喉
泡菜肚花
泡菜鱼条

泡菜鸡杂

　　鸡杂是成都人对鸡内脏鸡胗、鸡肝、鸡心、鸡肠等的统称，是很受欢迎的一道家常小菜，不管是炒着吃、凉拌着吃还是干锅或做面臊子，或许是四川人口味重的缘故吧！

| 主　料 |

鸡杂300克。

| 码味料 |

水淀粉10克，料酒10克，酱油5克。

| 碗芡料 |

醋15克，盐2克，白糖1克，味精2克，水淀粉15克。

| 调辅料 |

菜籽油适量，泡椒段10克，泡姜10克，蒜片5克，花椒1克，芹菜段50克，葱段20克。

| 小秘密 |

1 鸡杂下锅后不可炒太久，这道菜的火候尤为重要。

2 全程大火炒制。

制作过程

1 鸡杂切好后加水淀粉、料酒、酱油拌匀，码味5分钟。

2 锅内菜籽油烧至五成热，加入泡椒段、泡姜、蒜片、花椒，炒香。

3 下入码味后的鸡杂。

4 大火快速翻炒。

5 鸡杂翻炒至八成熟时，加入芹菜段和葱段。

6 大火快速翻炒。

7 大火快速炒熟后勾碗芡，收汁。

8 起锅装盘。

我们身边的鸭肉

北京鸭

紫麻鸭

花边鸭

老麻鸭

　　鸭子是川菜家禽原料中的重要组成部分，常见肉用品种有麻鸭、花边鸭、北京鸭等。四川与鸭有关的名菜樟茶鸭、油烫鸭、乐山甜皮鸭、雪魔芋烧鸭、卤鸭翅、香酥鸭方、虫草炖老鸭、火爆鸭肠、酱爆鸭舌，听着菜名就想吃啊。

峨眉雪魔芋烧鸭

火哥个人认为，雪魔芋的最大特点就是质地松软，可以吸收更多的烧鸭原汤。夹一块吸满汤汁的雪魔芋送入嘴里，根本不用咀嚼就已经满口都是烧鸭的香味。吃到最后，往往盘中只会剩下鸭块而绝不会有雪魔芋的身影，鸭子在这道菜中沦为配菜，就好比泡茶的茶叶!

| 主　料 |

仔鸭2000克，雪魔芋干150克，胡萝卜200克。

| 调辅料 |

菜籽油、猪油各适量，桂皮3克，八角2克，白蔻1克，小茴香1克，汉源花椒2克，白酒10克，郫县豆瓣酱30克，泡姜20克，糖色20克，盐5克，味精3克，葱花3克。

粗加工

1 雪魔芋干品，以灰白色无砂为上品。

2 雪魔芋干用温水涨发2小时，涨发时注意翻面。

3 发好的雪魔芋就像泡沫一样中间含有很多水分，微微挤出水分后切成条状，备用。

制作过程

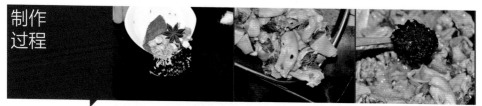

1 锅内下菜籽油和猪油成混合油，烧至五成热下入桂皮、八角、白蔻、小茴香、汉源花椒等香料。

2 香料出香味后，下入剁好的鸭块，加白酒后煸炒至出香味。

3 加入郫县豆瓣酱和糖色后继续煸炒。

4 加入泡姜和清水，烧开后加盖焖煮半小时。

5 加入切块的胡萝卜。

6 加入切好的雪魔芋。

7 所有材料加入后继续中火烧半个小时，收汁，起锅前加盐、味精、葱花调味。

变变变

雪魔芋烧牛蛙
雪魔芋烧乳鸽
雪魔芋烧鸡
雪魔芋烧牛肉
雪魔芋烧鸭掌

| 小秘密 |

1 仔鸭烧1小时左右，如果是老鸭需要烧3小时以上。

2 刚烧好的雪魔芋不要夹一块一口就放进嘴里，满满的汤汁很烫人的。

啤酒鸭

这道不加水烧制的啤酒鸭并不是一道传统意义上干烧的菜品，只是在制作的过程中巧妙地用啤酒代替了大家烧菜常用的水。这样做的好处就是可以让啤酒的麦芽醇香融入菜品，使菜品的口味更加厚重。大家完全不用担心吃了这道菜酒精超标，因为烧制的过程中啤酒的酒精含量早就随着那一缕缕飘出的菜香挥发了！

| 主 料 |

仔土鸭1只（约1000克），魔芋1000克。

| 码味料 |

盐15克，料酒10克，老姜片20克，大葱段30克。

| 调辅料 |

菜籽油适量，猪油适量，八角10克，桂皮10克，丁香1粒，花椒1克，老姜片20克，郫县豆瓣酱40克，泡萝卜100克，泡辣椒50克，啤酒600克，味精5克，葱花5克。

| 小秘密 |

1 魔芋一定要煮一下，这样可以去除魔芋的碱味。

2 魔芋也称黑豆腐，营养价值高而热量低。所以想瘦身的朋友可以大胆地多吃点。

3 鸭块在锅中煸炒这道工序是关键，鸭块一定要煸香，以热油变得清亮为准。

制作过程

1 仔土鸭治净、剁块后加盐、料酒、老姜片、大葱段腌制10分钟，备用。

2 魔芋切条，下锅加水、盐，煮开后沥水备用。

3 锅内加菜籽油和猪油成混合油，五成热时下八角、桂皮、丁香、花椒、老姜片炒香。

4 香料炒香后下入剁好的鸭块。

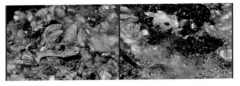

5 鸭块在锅中大火煸炒。

6 炒香鸭块，再加入郫县豆瓣酱，炒香上色后加入泡萝卜和泡辣椒。

7 加入啤酒。

8 再加入魔芋条，大火烧开后转中小火烧1小时，起锅前加味精。装盘后再放葱花，不但好看而且很香。

变 变 变

啤酒鸡
啤酒兔
啤酒猪蹄
啤酒鳝鱼
啤酒三鲜

108

飘香鸭肠

这道菜汇集了三种爽脆的食材——鸭肠、大木耳、鲜笋尖，爽脆的同时菜品饱含香菜和美极鲜融合后的特殊香味，小米椒作为辣味的代表会让你吃后微微发汗……简单说吧，不开胃那是不可能的事！

制作过程

1 新鲜鸭肠、水发大木耳、鲜笋尖、小米辣。

2 锅内下菜籽油烧至五成热，加花椒和辣椒段炝锅，加入鸭肠烹料酒后大火快炒。

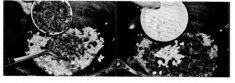

3 加入大木耳粒和小米辣。

4 加入鲜笋粒继续大火快炒。

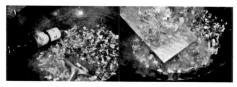

5 加入美极鲜酱油和盐。

6 加入香菜段和葱花、味精后翻炒一下，就可起锅装盘上菜了。

| 主 料 |

鸭肠250克，水发大木耳50克，鲜笋尖100克，小米辣20克。

| 调辅料 |

菜籽油适量，辣椒段10克，花椒1克，料酒10克，美极鲜酱油10克，盐3克，香菜段15克，葱花5克，味精2克。

109

| 小秘密 |

1 鲜鸭肠可以用盐洗净后加冰水泡片刻；买不到鲜鸭肠的可以用鸭郡把代替。
2 注意炒制的火候和时间，做这道菜时你家的火有多大就开多大。
3 炒制时猛火快炒，鸭肠炒至断生即可。千万不要因担心鸭肠没熟而炒太久，这往往是很多家庭主妇的通病。
4 大木耳粒和鲜笋粒需事先用开水加盐汆一下，沥干再用。
5 香菜只要香菜茎，不要香菜叶。

变变变

飘香郡肝
飘香鸭掌
飘香肚条
飘香小肚
飘香鸡杂

香芹炝鸭掌

鸭掌，四川人称其为鸭脚板。四川的大小卤菜店、凉菜店多能见其踪影，四川人对它的喜好也由此可见一斑。小小的鸭脚板除去骨头就是一层皮，但就是这层鸭皮低脂肪、富含大量的胶原蛋白，它低廉的价格和昂贵的熊掌营养价值几乎相当。能不爱鸭掌？

制作过程

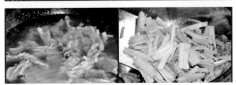

1 去骨鸭掌洗净、氽水，再放入白卤水汁中卤至熟软，捞出后自然冷却。

2 香芹菜拍破后切段加入装有鸭掌的调味盆中。

3 锅内菜籽油六成热时下入干辣椒、花椒，炝香后趁热加入调味盆中。

4 加入熟白芝麻。

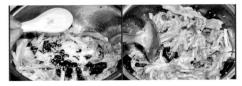

5 再加入盐、白糖、味精。

6 最后加入藤椒油拌匀，即可装盘。

110

┃ 主 料 ┃

去骨鸭掌500克，香芹菜100克。

┃ 白卤水料 ┃

鲜汤适量，花椒少许，老姜10克，八角5克，白蔻2克，山奈3克，盐20克，料酒30克。

┃ 调辅料 ┃

菜籽油少许，干辣椒段10克，花椒1克，熟白芝麻2克，盐1克，白糖2克，味精2克，藤椒油5克。

变变变
香芹鸡爪
香芹猪尾巴
香芹鱼皮薄荷鸭掌
藿香鸭掌

┃ 小秘密 ┃

1 鸭掌卤制时间在30分钟左右。

2 藤椒油不能下锅加热，过高的油温会让藤椒油失味而影响口感。

酸辣鸭胗

鸭胗也就是鸭子的胃，四川人称其为鸭郡肝，因其脆嫩化渣的口感而广受人们喜爱。火锅店里，它是那烫出来形如绣球般的红花；川菜店里，它潜入那一盘盘热气腾腾的辣椒当中成为舌尖的爽脆；凉菜店里，它又是那随着刀尖起舞伴着红油歌唱的小生。爱它，我甚爱它！

制作过程

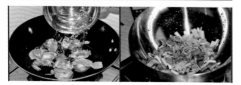

1 鸭胗冷水下锅加姜片、花椒、料酒、盐煮10分钟左右，煮好的鸭胗捞出后晾凉。

2 鸭胗切片、香芹切段装入调味碗中。

3 加入辣椒油、花椒粉、芝麻油、酱油、醋、白糖、味精、蒜泥等。

4 调味后直接拌匀即可装盘。

111

┃ 主 料 ┃

鸭胗300克，香芹100克。

┃ 煮鸭胗料 ┃

姜片5克，花椒1克，料酒10克，盐5克。

┃ 调辅料 ┃

辣椒油50克，花椒粉少许，芝麻油10克，酱油8克，醋15克，白糖3克，味精2克，蒜泥20克。

变变变

酸辣凤爪
酸辣鸭肠
酸辣腰花
酸辣毛肚
酸辣皮冻

┃ 小秘密 ┃

1 鸭胗需去除表面筋膜和油污，再加盐反复搓洗后用清水洗净即可。
2 鸭胗切忌煮太久，否则会失去爽脆的口感。

我们身边的水产

鲤鱼

推荐菜式：豆瓣鱼、糖醋脆皮鱼

花鲢鱼

推荐菜式：鱼头豆腐汤、红烧鱼划水

乌鱼

推荐菜式：鲜熘乌鱼片、浓汤乌鱼片

淡水鲈鱼

推荐菜式：清蒸鲈鱼、双椒烧鲈鱼

鲫鱼

推荐菜式：奶汤鲫鱼、香酥鲫鱼

112

草鱼

推荐菜式：酸菜鱼、沸腾鱼

串串鱼

推荐菜式：油炸河鱼、藿香烧串串鱼

鳝鱼

推荐菜式：大蒜烧鳝鱼、干煸鳝鱼

泥鳅

推荐菜式：酸菜烧泥鳅、石锅耙泥鳅

黄蜡丁

推荐菜式：豆腐黄蜡丁、水煮黄蜡丁

田螺

推荐菜式：麻辣炒田螺、泡椒田螺

河蟹

推荐菜式：油炸小河蟹、河蟹汤

小龙虾

推荐菜式：麻辣小龙虾、鱼香小龙虾

河虾

推荐菜式：韭菜炒河虾、油炸香酥河虾

牛蛙

推荐菜式：青瓜烧牛蛙、泡椒烧牛蛙

如何片鱼片

1 制净的草鱼1条。

2 从尾部开始起刀，片下鱼肉。

3 右手拿刀一定要端平片开，左手固定住鱼头。

4 剔下的鱼骨部分剁断，鱼头从中间劈开。

5 片下鱼骨。

6 斜刀片下鱼片，鱼片一定要厚薄一致。

黄鱼去内脏

1 冰鲜黄鱼一条。

2 整鱼去除鱼鳞，洗净后从排泄口以上5厘米处横切一刀。

3 用两根筷子插入鱼腹后顺时针搅动，筷子一定要分开进入并插到底。

4 从鱼口取出内脏后清洗干净即可。

| 主　料 |

鲫鱼1条（约300克），板栗10个。

| 调辅料 |

猪油少许，老姜10克，黄芪片5克。

制作过程

板栗去皮

1 带壳新鲜板栗。

2 新鲜板栗去除外壳，冷水下锅，水开后煮3分钟。

3 煮好的板栗捞出后迅速用冷水冲冷，热胀冷缩后表皮和板栗肉很容易分开。

4 经过热处理后的板栗皮好剥多了。

鱼汤熬制

1 将板栗和煎好的鲫鱼放入砂锅内。

2 再加入黄芪片。

3 加入清水。

4 盖上砂锅盖用大火烧开后转小火煨1小时左右，鱼汤会慢慢变白但浓度还不够，所以最后需再开大火20分钟将汤汁收浓。

变变变

砂锅麦冬板栗鲫鱼汤
砂锅黄芪雪豆鲫鱼汤
砂锅黄芪花生鲫鱼汤
砂锅黄芪玉米鲫鱼汤
砂锅当归板栗鲫鱼汤

砂锅黄芪板栗鲫鱼汤

115

这道菜用到了鲫鱼、黄芪、新鲜板栗，这三样材料的食疗功效我在这里就不啰嗦了。这道汤的最特别之处还在于我用了四川雅安市荥经县的特产黑砂锅来炖制。这种砂锅炖出来的汤可不是一般的高压锅或不锈钢锅能比的，如果大家有机会到荥经，一定要带一口这种黑砂锅回家，这样一辈子都可以有好汤喝了！

| 小秘密 |

1 一条鲫鱼配10个板栗足够了。
2 鲫鱼用猪油煎至两面黄即可，这样熬出的鱼汤才香浓。

豆瓣鱼

火哥是老成都,从小生活在府南河旁的北门大桥边。临河而居的生活让我家有了近水楼台先得月的便利,餐桌上少不了各种鱼肴。泥鳅、黄鳝那时主要用来喂猫而很少被制成菜品端上桌,常吃的是给大家介绍的这道家常豆瓣鱼。小时候吃的豆瓣鱼几乎都是用一条重量在500克左右、尾巴通红的鲤鱼烧制。厨房中,母亲将鲤鱼治净,备好作料后依次下锅,只需10分钟左右香浓扑鼻的豆瓣鱼就可上桌,那味道是我记忆中豆瓣鱼永远的味道!

| 主 料 |

活鲤鱼1条(约500克)。

| 调辅料 |

菜籽油、猪油各适量,家常剁椒胡豆瓣酱30克,泡椒酱20克,泡姜15克,蒜瓣10克,泡青菜20克,白酒6克,白糖4克,醋4克,水淀粉15克,味精3克,葱花5克。

制作过程

1 活鲤鱼宰杀、治净。　2 鱼背部斜切几刀,便于鱼身入味。　3 锅内下菜籽油,烧至七成热时鱼下油锅,炸至表皮收紧后捞出备用。

4 锅内加少许猪油和菜籽油的混合油,烧至五成热后下家常剁椒胡豆瓣酱、泡椒酱炒香出色。

5 再加入剁细的泡姜、蒜瓣和切细的泡青菜,炒香后加清水、白酒、白糖烧开。

6 下鱼后加盖中小火焖烧。

7 几分钟后需要将鱼翻面一次。

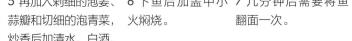

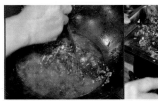

8 翻面后再过几分钟鱼就熟了。

9 将鱼捞出装盘。

10 锅内汤汁加醋、味精、水淀粉勾芡后浇在鱼的表面,再撒葱花即可。

变变变
豆瓣肘子
豆瓣猪蹄
豆瓣狮子头
豆瓣圆子
豆瓣鸡爪

▍ 小秘密 ▍

1 炸鱼时表皮收紧即可，切不可将鱼炸得过干。

2 俗话说，急火豆腐慢火鱼。这道菜鱼下锅后需用中小火慢慢烧制。

3 烧制过程中用一根筷子选鱼肉最厚的部位插下去，如果很轻易就可以插到鱼骨，就说明鱼熟了。

4 鱼不要选太大的，500克左右的鲤鱼最好。

变 变 变

酸菜牛蛙
酸菜鸡片
酸菜鳝鱼
酸菜肥牛
酸菜蹄花

酸菜鱼

以往我们去钓鱼，豆花妹妹一般都是在旁边看或是给我们撒诱饵。这天，她看着我们钓了两条大鱼后说她也要钓，于是我们笑着说你不要被大鱼拖到水里去哦！我们在一边喝茶，豆花妹妹很认真地开始了她的初钓。一会儿工夫她叫了起来，鱼竿几乎要折断的抖动和向下弯。经过一番异常激烈的搏斗，豆花妹妹钓上来属于她的第一条大鱼，真为我女儿感到高兴！于是，这条大草鱼就成了我家晚餐桌上的酸菜鱼！

▎主 料 ▎

草鱼1条（约1500克）。

▎码味料 ▎

红苕淀粉50克，白酒15克，盐3克，蛋清2个。

▎调辅料 ▎

猪油适量，泡酸萝卜200克，泡酸菜150克，泡子姜30克，野山椒50克，大蒜30克，白酒10克，胡椒粉20克，鸡精10克，葱花10克，泡椒段10克。

制作过程

1 泡酸萝卜、泡酸菜切片，泡子姜切片、野山椒切段、大蒜剁成蒜粒。

2 草鱼片成片与红苕淀粉、白酒、盐、蛋清拌匀码味5分钟。

3 猪油下锅六成热时加入泡酸萝卜条、泡酸菜条、泡子姜片、野山椒段、大蒜粒大火煸炒至出香味。

4 炒好后的调料加清水，大火烧开。

5 调料汤汁中加入鱼头、鱼骨、白酒一起熬煮。

6 再加入胡椒粉、鸡精。

7 大火烧5分钟后，将调料和煮熟的鱼骨捞出，盛放。

8 将码味后的鱼片下入锅内的酸菜汤中。

9 鱼片下锅后用炒勺或锅铲轻推以防煳锅，并用大火快速烧开至鱼片全部变色，将鱼片连汤倒入装好鱼骨和调料的容器中。

10 表面撒葱花、泡椒段后，淋入七成热的猪油烫香，即可上菜。

| 小秘密 |

1 这满满一盆酸菜鱼足够四五个人吃了，我家的习惯是吃完鱼后再将酸汤端回厨房烧开，加入粉丝和各种素菜煮着吃。当然你也可以直接用这个鱼汤煮面，那也是相当可口！

2 这道菜一定要用全猪油来做，如果是菜籽油或其他油，口味就会大减！

3 拌匀的鱼片都应裹上薄薄的淀粉浆，切忌加水或料酒，否则鱼片下锅就脱浆，鱼片也就永远嫩不起来了！

4 没有好的泡菜最好不做这道菜。

麻辣土豆烤鱼

火哥家以前住在老成都北门大桥的府河边，那时府南河里的各种鱼多得超出你的想象。河边长大的人喜欢吃鲤鱼、鲶鱼、甲鱼等，基本不吃泥鳅和各种小杂鱼，因为自小我们就认为这些都是用来喂猫咪的猫鱼。时过境迁，虽然现在这些猫咪的"猫粮"身价早已倍增，一斤泥鳅的价格是鲤鱼的好几倍，但我家特别是我爸还是更喜欢吃鲤鱼等大鱼。前几天路过沱江河边看见有渔夫卖野生鱼，于是火哥果断出手买了几条，现在吃这种河鱼已经变成可遇不可求的美事了。

| 主 料 |

鲤鱼1条（约500克），土豆500克。

| 码味料 |

盐5克，白酒10克。

| 调辅料 |

小米辣20克，小青椒30克，蒜粒20克，姜片10克，郫县豆瓣酱25克，火哥自制香辣豆豉50克，盐5克，花椒粉2克，孜然粉3克，辣椒油适量，葱花5克。

粗加工

1 鲤鱼去鳞、去鳃。

2 从鱼腹下刀，将鱼切开，注意不要切断。

3 鱼身两面斜切几刀，破皮即可。

4 用白酒和盐给鱼码味。

5 码味后的鱼平铺于盘中。

制作过程

1 小米辣、小青椒切段。

2 蒜粒、姜片、郫县豆瓣酱、火哥自制香辣豆豉、青红辣椒段都加入调味盆中。

3 土豆条中放入调料盆中，再加入盐、花椒粉、孜然粉，拌匀。

4 烤料均匀放入装鱼的烤盘中。

5 最后淋辣椒油。

6 放入烤箱以200℃烤30分钟左右，撒葱花即可。

121

变变变

麻辣土豆烤排骨
麻辣土豆烤泥鳅
麻辣土豆烤甲鱼
麻辣土豆烤鸡块
麻辣土豆烤双脆

| 小秘密 |

1 火哥自制香辣豆豉可用老干妈豆豉代替。
2 吃完烤鱼后的汤料还可以用于煮面条。
3 如果鱼过大、过厚，就需要适当增加烤制时间。

思乡鲈鱼

这道思乡鲈鱼选用的调辅料是四川剁椒豆瓣酱、四川泡豇豆、四川泡姜、四川原味豆豉等，都是最具四川特色的调料，目的就是要让大家吃到最具四川特色的味道。

变变变

思乡甲鱼
思乡鲤鱼
思乡鸡翅
思乡猪蹄
思乡肘子

▌小秘密▌

1 蒸鱼的时间依据鱼的大小，500克重的鱼蒸10分钟左右。
2 蒸熟的鱼滑入盘中时动作一定要轻柔，这时的鱼很嫩、易散。
3 起锅后还可以加点藿香叶或薄荷叶。
4 豌豆尖可以用其他绿色蔬菜代替，但不可多加。

▌主 料▌

鲈鱼1条（约500克）。

▌码味料▌

盐3克，料酒10克，老姜片5克，葱段10克。

▌调辅料▌

菜籽油适量，家常剁椒豆瓣酱20克，泡子姜粒8克，猪肉臊子50克，泡豇豆粒30克，四川原味豆豉20克，鲜汤适量，白糖5克，味精3克，水淀粉15克，豌豆尖20克。

粗加工

1 鲈鱼去鳞、去鳃。　2 从背部切开，这是第一刀，因为鱼背部的肉较厚，这样两侧都切开便于与鱼身同时蒸熟。

3 第二刀刀口向上微微切开，不能切破鱼身。　4 鱼肉经过抹色拉油，加盐、加料酒后同老姜片、葱段一起入蒸锅加盖蒸熟。

制作过程

1 锅内菜籽油烧至六成热时，加入家常剁椒豆瓣酱炒香出色。　2 加入泡子姜粒。　3 加入猪肉臊子。

4 加入泡豇豆粒。　5 加入四川原味豆豉后，将多种原料炒香时加入鲜汤烧开。　6 加入白糖、味精后用水淀粉勾芡。

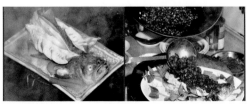

7 装鱼的盘子下面垫上豌豆尖，将蒸熟的鱼轻轻滑入盘中。　8 均匀浇上调味汁，就可以上桌了。

浓汤蘸水乌鱼片

说起这个乌鱼，就不得不说说前段时间网上的一则新闻，说是中国这种乌鱼到了国外就成了水中的霸王龙，这种肉食鱼位于当地食物链的顶端，因为没有天敌而大量繁殖以至于成为了当地一种灾难。俗话说，一方水土养一方人，看来这一方水土不但养人也养鱼啊！试问为啥乌鱼在我们国内就没有成为灾难？我想，就是因为有了我们这些吃货为民除害吧！哈哈……

| 主 料 |

乌鱼1条（约1500克）。

| 码味料 |

蛋清1个，盐3克。

| 调辅料 |

猪油适量，老姜10克，大葱15克，盐5克，胡椒粉5克，料酒15克，小葱5克。

| 蘸水料 |

家常胡豆剁椒豆瓣酱30克，葱花5克，醋10克。

1 宰杀乌鱼前，一定 2 去除内脏并洗净，乌 3 从鱼的尾部下刀，
要将它砸晕。　　　鱼准备去骨、切片。　切下鱼肉。

4 剔骨后去皮。　　　5 片成鱼片，注意是 6 片好的鱼片晶莹透
　　　　　　　　　两刀一断。　　　明，这张逆光的鱼片
　　　　　　　　　　　　　　　像不像蝴蝶？

制作
过程

1 将剔下来的鱼骨和鱼头用猪油炒制后，加老姜、大葱、盐、胡椒
粉、料酒大火熬成鱼汤。大概熬制1小时后，汤比较浓时去除鱼骨不
要，保留鱼汤就可以煮码好味的乌鱼片了。乌鱼片片好后，先用蛋
清、盐码味5分钟，用手将鱼片抖散下入鱼汤中。

125

2 待鱼片变色，即可 3 鱼片汤直接冲入小 4 蘸水是家常胡豆剁椒
起锅。　　　　　　葱垫底的汤碗底中。　豆瓣酱加葱花、醋。

变变变
浓汤蘸水鳜鱼
浓汤蘸水牛蛙
浓汤蘸水鸡
浓汤蘸水泥鳅
浓汤蘸水甲鱼

| 小秘密 |
1乌鱼又叫黑鱼，鱼身很滑，生命力也很强。片鱼片前，一定
要确认乌鱼已经死后再下刀，以确保安全。
2熬鱼汤一定要先用油将鱼骨炒后，再加清水用大火熬制。
3蘸水可以用自己喜欢的任何一种，酸辣、麻辣、葱油都行。

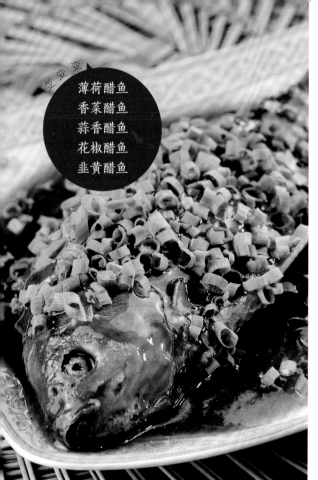

变变变

薄荷醋鱼
香菜醋鱼
蒜香醋鱼
花椒醋鱼
韭黄醋鱼

香葱醋鱼

这种做法因太耽误时间，所以餐厅很少会用这种方法。如果学会制作这道菜，那绝对是具有个性的家庭菜式，家人、朋友的掌声也就自然响起啦！

▎ 小秘密 ▎

1 下油锅前一定要确定鲫鱼不再蹦跶，并准备锅盖遮挡以防烫伤。

2 一定要最后起锅前加醋，否则这道菜就是怪味味型了。

▎ 主 料 ▎

鲫鱼1条（约300克）

▎ 调辅料 ▎

猪油适量，老姜片15克，葱段20克，酱油5克，白胡椒粉1克，料酒20克，盐3克，白糖1克，水淀粉10克，醋15克，葱花5克。

制作过程

1 鲫鱼治净后，在背部轻轻斜切几刀。

2 锅内加猪油少许，烧至六成热后鲫鱼下锅，煎至两面金黄捞出，备用。

3 煎鱼剩下的油加入老姜片和葱段煸香。

4 加清水、酱油、白胡椒粉、料酒、盐、白糖后烧开。

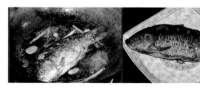

5 煎好的鲫鱼下锅烧至鱼熟入味。

6 捞出烧熟的鲫鱼。

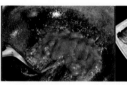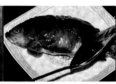

7 锅内汤汁捞出姜、葱不要，加醋，以水淀粉勾芡收汁。

8 将勾芡后的调料汁浇在鱼上，撒葱花即可。

┃ 主　料 ┃

小耗儿鱼500克，油炸小土豆块300克。

┃ 调辅料 ┃

菜籽油适量，小青椒30克，小米辣30克，家常豆瓣酱25克，葱10克，老姜20克，蒜块20克，花椒3克，盐2克，白糖1克，鸡精2克，水淀粉15克。

制作过程

1 耗儿鱼、小土豆、小青椒、小米辣、家常豆瓣酱、葱、老姜、蒜和花椒。

2 锅内加菜籽油，烧至五成热时下入家常豆瓣酱和花椒炒香。

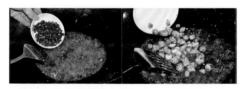

3 加入小米辣段、老姜。

4 加入小青椒段。

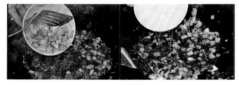

5 加入油炸土豆块、蒜粒。

6 所有作料炒香后加清水、盐烧开。

7 加入这道菜的主角耗儿鱼。

8 耗儿鱼下锅后，中火烧5分钟加白糖、鸡精，以水淀粉勾芡就可以起锅了。

变变变
米椒耗儿鱼
鱼香耗儿鱼
糖醋耗儿鱼
米椒鲫鱼
米椒鲶鱼

米椒耗儿鱼

　　这道米椒耗儿鱼简直是绝了！不但好吃而且营养丰富，它作为我推出的"高考第一菜"，我个人认为有如下优点：第一，鱼类的蛋白质含量相当丰富，营养没得说！ 第二，烧鱼时加入了特辣的小米椒，吃了让考生们头脑清晰，绝不瞌睡！ 第三，多吃健脾益气的新鲜土豆那是相当好的！

┃ 小秘密 ┃

1 耗儿鱼建议买小点的，这样烧出来更入味。
2 小土豆和大蒜都油炸至金黄色即可。

干烧耗儿鱼

干烧鱼是很传统的一道川菜，四川各地的做法也有一定差异。这款干烧鱼火哥使用了耗儿鱼替换传统的鲤鱼或草鱼，这样也算有点新意吧。如果锅够大，我还准备干烧一条鲨鱼哦！

| 主　料 |

大耗儿鱼1条（约350克）。

| 码味料 |

老姜片5克，葱段5克，料酒10克，盐2克。

| 调辅料 |

菜籽油适量，花椒少许，姜蒜瓣10克，猪肉臊子50克，宜宾芽菜30克，茶树菇15克，小米椒20克，葱花10克。

制作过程

1 治净的大耗儿鱼剪去周边鱼鳍，在鱼身切花刀。

2 两面都切好后加老姜片、葱段、料酒、盐码味。

3 将鱼下入七成热的油锅中炸至表皮金黄色，起锅，备用。

4 锅内留少许菜籽油，烧至五成热时加入花椒、姜蒜瓣炒香。

5 加入猪肉臊子。

6 加入切碎的宜宾芽菜。

7 加入茶树菇粒炒香。

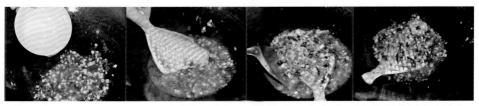

8 加入清水。

9 加入炸好的耗儿鱼。

10 此时用中小火慢烧收汁。

11 烧制的过程中注意翻面，等汤汁基本收干这道干烧鱼就可以起锅了。

129

12 要想菜品好看，装盘就需要花点工夫了。将料加在鱼身上后用筷子往两边分，再加入小米辣粒，这样吃起来不腻。若不喜欢吃辣，可以用甜椒代替，撒上葱花就可以上桌了。

变变变
干烧鲫鱼
干烧鲤鱼
干烧鲳鱼
干烧鳜鱼
干烧甲鱼

┃ 小秘密 ┃

1 这道菜在烧制过程中无需加盐了。芽菜和臊子都是有咸味的，况且鱼也经过码味。

2 鱼下油锅炸制时注意不要烫伤。

3 干烧鱼的汤汁一定要收干。

变变变

泡椒烧鳜鱼
泡椒烧鲈鱼
泡椒烧鲤鱼
泡椒烧鲳鱼
泡椒烧甲鱼

泡椒烧黄鱼

不管是大黄鱼或是小黄鱼那都是海鱼，大多来自离四川千里之遥的东南沿海地区。海边的人认为海鲜就是要鲜，就是应该用清淡的烹饪手法来突出这个鲜。但四川人任性地觉得海鲜也可以辣，也可以麻，还可以酸。于是有了闻名全国的香辣蟹，于是有了被全国大多数食客称道的麻辣水煮耗儿鱼，于是也有了这道泡椒烧黄鱼。

小秘密

调料塞入鱼腹的好处是保证鱼身成形的同时，让姜葱香味由内而外穿透整个鱼身。

主料

大黄鱼1条（约400克）。

调辅料

葱段15克，盐2克，菜籽油适量，猪油30克，郫县豆瓣酱15克，泡椒粒15克，老姜片15克，蒜片10克，鲜汤适量，料酒15克，鸡精2克，白糖1克，水淀粉10克。

制作过程

1 将葱段整理成捆，中间加几片老姜后抹盐并塞入鱼腹，以塞满为止。

2 锅内下菜籽油和猪油，烧至混合油五成热时加入郫县豆瓣酱炒香。

3 加入泡椒粒、老姜片、蒜片并炒香。

4 加入鲜汤和料酒后烧开。

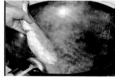 

5 下入黄鱼。

6 加盖以中小火焖烧10分钟左右。

7 将鱼捞出后加入鸡精、白糖，以水淀粉勾芡收汁。

8 将味汁浇于鱼身即可上菜。

| 主料 |

鳝鱼片350克，黄瓜300克。

| 调辅料 |

菜籽油适量，猪油少许，郫县豆瓣酱20克，花椒1克，泡椒20克，泡姜20克，大蒜30克，小米辣10克，白酒10克，白糖2克，鸡精2克，水淀粉15克。

大蒜烧鳝鱼
青笋烧鳝鱼
鲜笋烧鳝鱼
木耳烧鳝鱼
盐菜烧鳝鱼

制作过程

 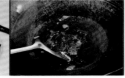

1 鳝鱼片、黄瓜、泡椒、泡姜、大蒜。

2 菜籽油、猪油下锅，混合油烧至五成热下郫县豆瓣酱、花椒，炒香出色。

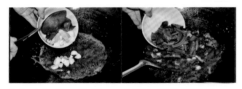

3 加入泡椒、泡姜、大蒜、小米辣以大火炒香。

4 鳝鱼切段后下锅。

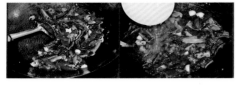

5 此时加入白酒，将鳝鱼煸至断生。

6 加水、白糖后烧5分钟左右，至鳝鱼熟软。

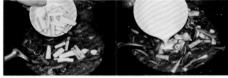

7 烧熟的鳝鱼中加入黄瓜条。

8 再加入鸡精炒匀后以水淀粉勾芡就可以起锅了。

黄瓜烧鳝鱼

前几天一早，表弟给我打电话说，他们好不容易在乡坝头熬更守夜弄到几斤资格土鳝鱼，准备拿到我家来晚上一起分享。这个消息对我这个资深吃货来说，简直就是幸福来得太突然了！整整一天我都开心得不得了，就期望着能早点吃上这顿鳝鱼大餐啊！

| 小秘密 |

1 泡椒切马耳朵片、泡姜切片、大蒜一分为四。

2 黄瓜下锅后不要烧太久。

3 鳝鱼最好是买活的现吃，死鳝鱼有毒千万别吃。

4 加糖的目的是增加菜品味道的厚度，此菜无需加盐了。

5 小米辣用于调节辣度，若怕辣可以不加。

变变变
鱼香化骨泥鳅
大蒜化骨泥鳅
芽菜烧化骨泥鳅
土豆烧化骨泥鳅
豆花化骨泥鳅

｜主　料｜

泥鳅500克。

｜调辅料｜

菜籽油、猪油各适量，家常豆瓣酱30克，汉源花椒1克，泡辣椒15克，泡姜20克，泡青菜50克，小米辣25克，大蒜30克，鲜汤适量，料酒20克，冰糖2克，鸡精3克。

制作过程

 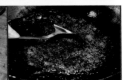

1 泡姜切片，泡青菜切条，小米辣切段，大蒜去皮。

2 锅内加入菜籽油、猪油，混合油烧至五成热时下家常豆瓣酱炒香。

3 加入汉源花椒。

4 加入泡辣椒、泡姜、泡青菜、小米辣、大蒜。

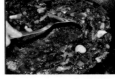 

5 泡菜等调料下锅后用中火慢炒，直至炒出香味。

6 加鲜汤。

7 加入处理好的泥鳅，下料酒、冰糖。

8 烧开后用小火煨2小时左右，直至泥鳅完全熟软后加鸡精即可。

泡菜化骨泥鳅

132

　　二三十年前，如果你问泥鳅是用来干什么的？估计90%以上的老成都会说，那个是用来喂猫咪的！以前猫咪的美食现在却成了名副其实的"水中人参"。很长一段时间没有吃泥鳅了，因为我心里一直觉得不想和猫咪争食。那天，一位要好的朋友说想吃泥鳅了，火哥义不容辞就答应了。去市场一问，我才知道现在的泥鳅早已乌鸡变凤凰，价格比鳝鱼还贵，35元一斤！当即被吓了一跳的火哥问老板是不是说错了？老板很肯定的说没错，还说现在这个价格还不算最贵的时候！已经答应了朋友那还是买吧，也顺便纠正一下我的错误老观念，以后再也不敢叫它猫鱼了，我一定尊称它是"水中人参"！

｜小秘密｜

1 泥鳅一定要买鲜活的、死泥鳅不能吃。
2 泥鳅一定要慢火烧至入口即化的程度。
3 此菜如果用去骨泥鳅片更好。

| 主料 |

牛蛙1只（约500克），黄瓜500克，甜椒50克。

| 调辅料 |

菜籽油、猪油各少许，家常豆瓣酱30克，姜蒜粒20克，青花椒3克，盐3克，白酒5克，白糖1克，鸡精2克，水淀粉15克。

制作过程

1 牛蛙带皮剁成块，黄瓜切滚刀，甜椒切块。　2 锅内下菜籽油、猪油，烧至五成热加入家常豆瓣酱炒香。

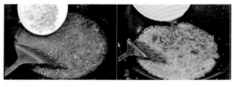

3 再加入姜蒜粒、青花椒。　4 炒香后加盐、清水烧开。

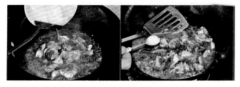

5 加入牛蛙，以中火烧开，此时放白酒去腥。　6 加白糖调味。

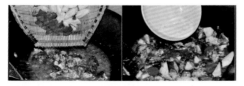

7 牛蛙烧熟后，加入切片的黄瓜、甜椒烧几分钟。　8 加鸡精、水淀粉勾芡收汁，起锅装盘。

变变变
土豆烧牛蛙
玉米烧牛蛙
鹌鹑蛋烧牛蛙
苦笋炒牛蛙
粉丝烧牛蛙

黄瓜烧牛蛙

　　从每年夏天的六月开始是双流牧马山二荆条辣椒和小米辣辣椒上市的季节，那真是辣椒的盛宴！成都的菜市场都是铺天盖地的红色！又到了做家常豆瓣酱的季节。作为资深吃货的火哥怎敢等闲视之，家里每年做上几十斤早已成了惯例。那真是一年做一次，做一次吃一年啊！

　　今天就用我去年做的这个家常豆瓣酱给大家来一道黄瓜烧牛蛙，这味道也只有吃过的人才知道了！用一句成都话来形容——味道巴适得很哦！

| 小秘密 |

1 牛蛙皮吃着很滑爽，所以建议牛蛙不要去皮。
2 没有青花椒可以用红花椒代替。
3 杀牛蛙、剁牛蛙这种事最好交给商贩代劳。

五彩鱿鱼圈

这几天成都都在下雨，气温下降也比较快，秋天是真的来了！中医的说法是秋天有秋燥，所以应该多吃点素菜、水果，并适当增加蛋白质。这道色彩绚丽的鱿鱼圈好看的同时还可以帮助补充人体需要的多种营养成分。最重要的是，这道菜做法相当简单。

| 主 料 |
冻鱿鱼300克。

| 煮鱿鱼料 |
姜片5克，花椒1克，料酒10克。

| 调辅料 |
小米椒20克，紫甘蓝30克，小葱20克，橄榄油20克，美极鲜酱油2克，盐3克，红醋10克，白糖15克，味精1克。

制作过程

1 冻鱿鱼解冻后去头、内脏，洗净。

2 撕去鱿鱼表皮的黑膜。

3 清水加姜片、花椒、料酒后，放入处理好的鱿鱼煮10分钟。

4 煮好的鱿鱼捞出，晾凉。

5 小米椒切二粗丝。

6 紫甘蓝切二粗丝。

7 小葱切段。

8 煮熟、放凉的鱿鱼切成圈。

9 将切好的原料放入调味碗中。

10 加入橄榄油、美极鲜酱油、盐、红醋、白糖、味精拌匀，就可以装盘上菜了。

| 小秘密 |

1 若不喜欢吃辣，可以用甜椒或胡萝卜代替小米辣。
2 没有紫甘蓝就用圆白菜代替。
3 没有橄榄油就用芝麻油代替。

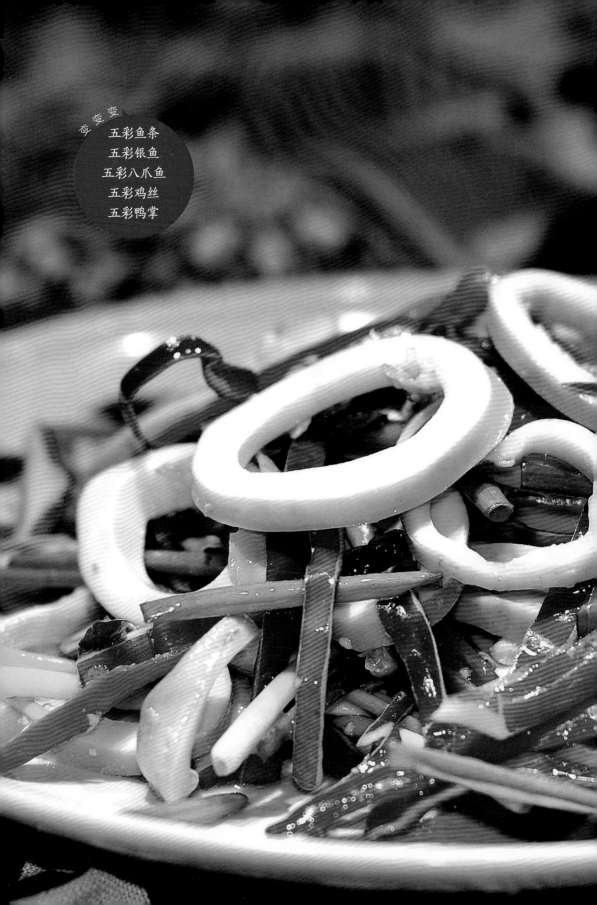

变变变
酥皮银鱼
酥皮蟹肉
酥皮墨鱼仔
酥皮鸡脯肉
酥皮小河鱼

酥皮北极虾

"这边瞧这边看，加拿大的野生北极虾好吃得很哦！"超市推销员的吆喝声把火哥引到了生鲜柜台前，一个表情夸张的推销员一边卖力招呼着，一边忙着给顾客介绍着冰柜中来自加拿大的北极虾如何好、如何新鲜，言语中用到了无数个"野生"二字。我一边笑一边跟旁边的豆花妹妹开玩笑说："难道北极还有养殖的北极虾？怎么养？开着破冰船养虾？难道是鲸鱼和北极熊充当饲养员吗？"豆花妹妹点头微笑着说："老爸，我想到一个成语——画蛇添足"。

| 主 料 |
北极甜虾20只，抄手皮20张。

| 调辅料 |
拌饭酱。

制作过程

1 自然解冻的北极甜虾、抄手皮、拌饭酱。

2 用抄手皮将虾裹住。

3 裹好的虾卷用筷子夹着，放入五成热的油锅中炸至表皮金黄色，出锅装盘。

4 来点拌饭酱作为这个酥皮虾卷的蘸料！

| 小秘密 |
1 虾卷裹时，可以适当紧一点。
2 虾卷下锅油炸时，成形前不能松筷子。

我们身边的素菜

合格

冬寒菜

推荐菜式：米汤冬寒菜、冬寒菜豆腐汤

瓢儿白

推荐菜式：蒜蓉炒瓢儿白、上汤菜胆

豌豆尖

推荐菜式：鸡汤豌豆尖、清炒豌豆尖

厚皮菜

推荐菜式：回锅厚皮菜、红烩厚皮菜

菜心

推荐菜式：清炒菜心、白灼菜心

小白菜

推荐菜式：小白菜豆腐汤、清炒小白菜

蒜薹

推荐菜式：蒜薹肉丝、蒜薹煸腊肉

青笋

推荐菜式：青笋肉片、麻酱凤尾

下锅耙

推荐菜式：炝炒下锅耙、素菜汤

血皮菜

推荐菜式：蒜蓉炒血皮菜、炝炒血皮菜

软江叶

推荐菜式：软江叶豆腐汤、软江叶煎蛋汤

瓜尖

推荐菜式：上汤瓜尖、清炒瓜尖

空心菜

推荐菜式：炝炒空心菜、豆豉炒空心菜秆

莼菜

推荐菜式：牛肉莼菜羹汤、清汤莼菜

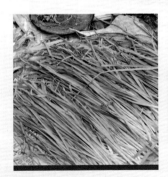

韭菜

推荐菜式：韭菜饺子、韭菜炒豆干

韭黄

推荐菜式：韭黄肉丝、韭黄酸汤

韭菜花

推荐菜式：韭菜花炒肉丝、韭菜花炒腊肉

蕨菜

推荐菜式：蕨菜炒肉丝、泡椒烩蕨菜

雪里蕻

推荐菜式：烂肉炒雪里蕻、雪里蕻包子

青蒜

推荐菜式：回锅肉、水煮肉片

香菜

推荐菜式：粉蒸牛肉、香菜圆子

藿香

推荐菜式：藿香鲫鱼、藿香泥鳅

茼蒿

推荐菜式：拌茼蒿、鸡汤蒿菜

芹菜

推荐菜式：水煮牛柳、夫妻肺片

红油菜

推荐菜式：鱼香红油菜、清炒红油菜

西蓝花

推荐菜式：蒜蓉西蓝花、蚝油西蓝花

圆白菜

推荐菜式：糖醋莲白、莲白回锅肉

紫甘蓝

推荐菜式：五彩沙拉、芥末紫甘蓝

小葱

推荐菜式：麻辣葱香鸡、小葱炒鸡蛋

大葱

推荐菜式：酱肉丝、葱烧海参

洋葱

推荐菜式：洋葱炒肉、铁板牛柳

折耳根

推荐菜式：凉拌折耳根、折耳根烧鳝鱼

白油菜薹

推荐菜式：清炒白油菜薹、炝炒白油菜薹

生菜

推荐菜式：生菜烤肉卷、麻酱生菜

菠菜

推荐菜式：姜汁菠菜、菠汁饺子

大白菜

推荐菜式：开水白菜、醋熘大白菜

青菜

推荐菜式：泡青菜、米汤青菜

儿菜

推荐菜式：白水煮儿菜、泡儿菜

青菜头

推荐菜式：腊肉烧菜头、白水煮菜头

菜花

推荐菜式：干锅菜花、油焖菜花

红皮萝卜

推荐菜式：泡萝卜皮、香菜萝卜丝

141

白萝卜

推荐菜式：萝卜炖牛肉、萝卜连锅汤

胡萝卜

推荐菜式：胡萝卜烧排骨、胡萝卜炖猪蹄

红萝卜

推荐菜式：红萝卜烧肉、红萝卜干

青萝卜

推荐菜式：萝卜炖羊肉、萝卜焖饭

甜玉米

推荐菜式：玉米浓汤、金沙玉米

嫩南瓜、丝瓜

推荐菜式：炝炒嫩南瓜、素烩南瓜、白油丝瓜、丝瓜圆子汤

苦瓜

推荐菜式：苦瓜烘蛋、干煸苦瓜

冬瓜

推荐菜式：金钩冬瓜、白油冬瓜

黄瓜

推荐菜式：黄瓜肉丁、拌蓑衣黄瓜

狗爪豆

推荐菜式：青椒炒狗爪豆、炝炒狗爪豆

四季豆

推荐菜式：干煸四季豆、四季豆烧土豆

虎耳瓜

推荐菜式：耙耙菜、虎耳瓜炒肉片

老南瓜

推荐菜式：蜜汁老南瓜、冰花蒸南瓜

毛豆

推荐菜式：五香煮毛豆、炒毛豆

嫩黄豆

推荐菜式：番茄烧黄豆、烂肉烧黄豆

豌豆

推荐菜式：豌豆粉蒸肉、腊肉烧豌豆

豇豆

推荐菜式：泡豇豆煸鲫鱼、姜汁豇豆

糯玉米

推荐菜式：玉米粥、松仁玉米

扁豆

推荐菜式：米汤烧扁豆、扁豆焖肉

荷兰豆

推荐菜式：蒜蓉荷兰豆、炝炒荷兰豆

鲜黄花菜

推荐菜式：烫火锅、黄花圆子汤

茄子

推荐菜式：鱼香茄子、炸茄饼

二荆条红辣椒

推荐菜式：剁豆瓣、泡辣椒

灯笼海椒

推荐菜式：灯笼回锅肉、老坛泡灯笼椒

大青椒

推荐菜式：虎皮海椒、青椒肉丝

小青椒

推荐菜式：小青椒回锅肉、小椒炒鸡丁

甜椒

推荐菜式：甜椒酱爆肉、糖醋甜椒

番茄

推荐菜式：番茄炒蛋、番茄炖牛肉

子姜

推荐菜式：子姜烧牛蛙、子姜肉丝

鲜笋

推荐菜式：鲜笋烧肉、白油素笋

水发笋

推荐菜式：笋子烧牛肉、拌麻辣笋丝

玉兰片

推荐菜式：鱼香肉丝、海味烧什锦

金针菇

推荐菜式：金针烧肥牛、扣肉金针菇

蘑菇

推荐菜式：蘑菇肉片、葱油蘑菇

茶树菇

推荐菜式：干锅茶树菇、腊肉炒茶树菇

蟹味菇

推荐菜式：鸡汤蟹味菇、蟹味鲫鱼汤

平菇

推荐菜式：平菇肉片汤、平菇炒肉

香菇

推荐菜式：香菇酿、香菇包子

干香菇

推荐菜式：香菇烧鸡、猪肉香菇饺子

大木耳

推荐菜式：火锅冒木耳、耳
丝滑肉

水发野菌

推荐菜式：野菌炖鸡、菌汤
火锅

黄豆芽

推荐菜式：炝炒银芽、豆芽
圆子汤

绿豆芽

推荐菜式：凉拌绿豆芽、四
川凉面

卤豆干

推荐菜式：炝拌豆干、豆干
炒肉丝

烟熏豆干

推荐菜式：炭烤豆干、豆干
回锅肉

豆腐和米凉粉

推荐菜式：麻婆豆腐、口袋
豆腐、伤心凉粉、拌热凉粉

旋子白凉粉

推荐菜式：酸辣凉粉、川北
凉粉

耙豌豆

推荐菜式：炒耙豌豆、肥肠
豆汤

山药

推荐菜式：炒山药泥、山药炖肘子

山药蛋

推荐菜式：臊子山药蛋、麻辣山药蛋

大土豆

推荐菜式：炒土豆丝、桂花土豆泥

小土豆

推荐菜式：小土豆烧排骨、香辣小土豆

地瓜

推荐菜式：地瓜炒肉丁、炝炒地瓜丝

莲藕

推荐菜式：排骨炖藕汤、糖醋藕丁

147

新鲜花生

推荐菜式：五香煮花生、花生烧肉

芋头

推荐菜式：芋头烧白菜、芋头扣肉

板栗

推荐菜式：板栗烧鸡、糖炒板栗

小清新泡菜

各种大假期间，想必都是大街小巷走东家串西家反复吃那些大鱼大肉吧，肠胃和体重也像我一样不堪重负了吧！这款既好吃又简单的小清新泡菜就是改变这种情况的。赶快动起来为我们的肠胃减负吧。

制作过程

1 西芹、洋葱、甜椒、胡萝卜、柠檬、小米辣，还有玻璃泡菜坛。

2 洋葱、甜椒、胡萝卜切成2厘米宽的筷子条，柠檬切片。

3 西芹需要用刮皮刀去除表皮的筋膜，再切条。

4 小米辣切成马耳朵形，这样出味快、易辨别。

5 泡菜坛洗净后加入盐、酿造白醋、白糖、大蒜、小米辣、味精、柠檬搅匀，静置半个小时。

6 半小时后将切好的素菜全部放进坛中，摇匀泡1个小时就可以食用了，中途需摇动一次。

▎主料▎

洋葱50克，西芹250克，胡萝卜250克，甜椒250克。

▎调辅料▎

酿造白醋150克，白糖100克，盐20克，大蒜20克，小米辣20克，柠檬50克，味精5克。

148

▎小秘密▎

1 若没有玻璃泡菜坛，用其他大点的有盖玻璃罐子也行。

2 柠檬用于增加泡菜的香味和自然酸味。当然，口味重的朋友想吃，我也无话可说，反正我是不吃这个的——太酸。

3 小米辣用于增加泡菜的辣味，喜欢吃辣的可以多加。

4 切洋葱时，据说用嘴衔一根筷子，这样做的好处是你切洋葱的时候再也不会莫名的感动了，是否有效试试就知道了。

5 制成的泡菜如果一顿吃不完，可以将剩下的放进冰箱冷藏密封保存，以我的经验三天之内食用是没有问题的。

6 用于取泡菜的筷子，必须保证清洁无油污。

煳辣翡翠卷

这道煳辣翡翠卷是一道用青笋制作的素食开胃凉菜，我的推荐理由有三：第一，红辣椒的红色带给大家生活、事业、学习工作都能红红火火。第二，青笋的绿色带给大家生命之树常绿、健康时时相伴。第三，白糖和白醋的白色带给大家夫妻恩爱、合家甜蜜、白头偕老。如果您也同意我这三个理由那就跟我一起来做这道煳辣翡翠卷吧！

制作过程

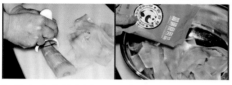

1 将去皮青笋削成薄片。

2 青笋片放入盆中，加盐。

3 加入白糖。

4 加入白醋后拌匀放置10分钟，码味。

5 锅中菜籽油六成热时，下干辣椒段、花椒炝香后趁热淋入青笋片中。

6 用筷子快速拌匀。

7 用筷子将青笋片卷好成形。

8 装盘即可。

| 主 料 |

去皮青笋300克。

| 调辅料 |

盐5克，白糖30克，白醋30克，干辣椒段5克，花椒少许，菜籽油适量。

149

变 变 变

红油翡翠卷
蒜香翡翠卷
芥末翡翠卷
糖醋翡翠卷
麻油翡翠卷

| 小秘密 |

1 青笋最好放在案板上面削成薄皮，不但安全而且厚薄也很均匀。
2 青笋片码味后需沥干水分。

姜汁豇豆

夏天来了，成都人喜欢的豇豆也大量上市了。成都的豇豆菜式主要是烂肉泡豇豆、姜汁豇豆、豇豆稀饭等。这三种豇豆的做法，让老成都不知道延续了多少代，究其原因很简单，用四个字表达：太好吃了！

制作过程

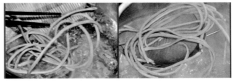

1 新鲜泡豇豆洗净，开水下锅汆水。

2 汆水3分钟捞出，迅速用冷水冲凉。

3 豇豆塑形：整根豇豆对折后剩下来的部分绕几圈，最后将绕好的尾部从中间穿进去。

4 调味碗内加入老姜粒和酱油。

5 再加入香醋，用微波炉加热10秒。

6 加盐和芝麻油。

7 加入鲜汤后搅匀。

8 将汤汁浇在装盘的豇豆上即可。

变变变
姜汁菠菜
姜汁贡菜
姜汁空心菜
姜汁木耳
姜汁银芽

150

| 主料 |

新鲜泡豇豆200克。

| 调辅料 |

老姜粒30克，酱油3克，香醋10克，盐2克，芝麻油10克，鲜汤少许。

| 小秘密 |

1 泡豇豆买细点且不走子的才好。
2 冲水可以让豇豆不但颜色好看，而且很脆。

制作过程

1 切好的厚土豆片，放在蒸锅蒸约20分钟。

2 晾凉后，用刀口将土豆压细成土豆泥。

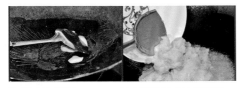

3 锅内下猪油。

4 烧至五成热后下入土豆泥。

5 中火反复炒至土豆泥翻砂吐油，加盐、味精调味。

6 找一个合适的碗并在碗内抹匀猪油，碗底放葱花，将炒好的土豆泥装入碗中并压实。

变变变
桂花芋泥
桂花山药泥
桂花紫薯泥
玫瑰土豆泥
茉莉土豆泥

151

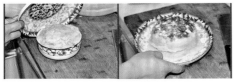

7 盘子反扣在装好土豆泥的碗口上，双手捏紧碗和盘子并翻面，将碗底朝上。

8 揭开碗，圆圆的土豆泥就出来了，最后撒上新鲜的桂花，这道菜就成功了！

┃ 小秘密 ┃

1 蒸土豆片时，土豆一定要切厚些，这样蒸出来的土豆才不容易出水。

2 制作这道菜最好买高原大土豆，这样土豆泥的口感更佳。

桂花土豆泥

这道菜和以往普通土豆泥最大的区别就是加入了超级新鲜的金桂花，当然你也可以加那种淡黄色的雄黄桂或银桂，甚至可以为了一年四季都吃到这道菜而在家中种一株月桂。最后提醒大家，抖落桂花的时候请爱护树木，不要将枝条碰断了，这样来年的桂花才会更多、更香！

┃ 主料 ┃

土豆350克。

┃ 调辅料 ┃

猪油适量，盐5克，味精1克，桂花1克，葱花10克。

家常茄汁冻豆腐

东北冻豆腐炖鱼，对于至今还未去过东北的火哥来说，心里那个着急啊（吃货的心思你懂的）！咋办？成都的冬天豆腐放室外肯定是冻不上的。不过没关系，没有室外的低温我们有冰箱冷冻室啊。说干就干，马上买一块豆腐，再来点猪肉和番茄，开始吧！

| 主 料 |

老豆腐500克，猪肉馅50克，番茄100克。

| 调辅料 |

料酒10克，番茄沙司15克，盐6克，胡椒粉1克，味精1克，水淀粉15克，葱花5克，鲜汤适量。

**制作
过程**

1 老豆腐一块。　2 豆腐放入冰箱冷冻　3 解冻后的豆腐切片。
　　　　　　　　　室冷冻8小时后，室温
　　　　　　　　　自然完全解冻。

4 用手轻轻挤出冻豆　5 锅内放油烧至六成　6 猪肉炒香后，加　7 再加入番茄沙司炒
腐中的水分。　　　热时，下入猪肉馅炒　入番茄粒。　　　香，加入鲜汤熬煮5分
　　　　　　　　　散，加料酒后炒香。　　　　　　　　　钟左右。

8 冻豆腐下锅再烧　9 加盐和胡椒粉后大　10 以水淀粉勾芡，
5分钟。　　　　　火收汁。　　　　　关火后加味精、撒
　　　　　　　　　　　　　　　　　　葱花即可。

153

鱼香冻豆腐
酸辣冻豆腐
美极鲜冻豆腐
青椒冻豆腐
蚝油冻豆腐

| 小秘密 |
1 冻好的豆腐不能切太薄，否则热加工时不宜成形。
2 冻豆腐稍微挤一下水就行了，不可用力挤太干。

红油三丝

火哥承认自己喜欢各种肉嘎嘎，但我家的餐桌也从不缺乏各种素菜，毕竟肉吃多了还是需要吃点素菜来解油腻的。这款红油三丝就是其中一种。

┃主料┃

红皮萝卜150克，青笋150克，豌豆粉丝15克。

┃调辅料┃

酱油5克，盐5克，白糖2克，味精2克，辣椒油30克。

变变变 酸辣三丝 芥末三丝 怪味三丝 麻辣三丝 糖醋三丝

┃小秘密┃

1 拌三丝的主料可以用任何你喜欢的荤菜或素菜自由搭配。

2 豌豆粉丝必须事先用开水发透。

制作过程

1 素三丝的主材：红皮萝卜、青笋、豌豆粉丝。

2 要想切出粗细均匀的萝卜丝，开片是第一关键步骤。

3 萝卜开片后码好。

4 匀速下刀，切出均匀一致的萝卜丝。青笋也同样切成丝。

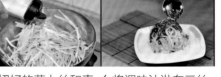

5 切好的萝卜丝和青笋丝加盐调味后静置几分钟，挤干水分；将水发豌豆粉丝掐断，装盘垫底。

6 将调味汁淋在三丝上就可以上菜了。

154

变变变
干煸苦瓜
干煸豇豆
干煸土豆
干煸扁豆
干煸茄子

干煸四季豆

　　每年夏天，朋友都会从龙泉给火哥带来他们自家种的青菜晒的盐菜，那才叫一个香啊！这种原生态的盐菜估计外面市场上是买不到的，现在想吃这种小菜，没有特别的朋友关系都成了奢望。

| 主料 |

四季豆500克，猪肉臊子50克，盐菜20克。

| 调辅料 |

盐5克，菜籽油适量，干辣椒5克，花椒少许，味精2克。

| 小秘密 |

1 买四季豆时不要选特别光滑的，四季豆越光滑越老。
2 干盐菜用温水洗净后挤干水分切碎即可，不可水泡太久，那样就不香了。
3 没有盐菜可以用芽菜、冬菜、大头菜代替。
4 四季豆一定要炒熟后食用！

制作过程

1 四季豆去筋洗净，切成小段，撒盐码味。

2 锅内菜籽油烧至五成热后，加入干辣椒、花椒、猪肉臊子炒匀。

3 加入切碎的盐菜炒香。

4 加入码好味的四季豆。

5 以中火煸炒直至完全熟透。

6 关火，加味精炒匀即可。

155

鱼香茄子

这道鱼香茄子和往常做法最大的不同就是吃着不会那么油腻，吃完了上面的茄子后用多余的鱼香汁混合拌匀垫底的圆白菜丝，还真有一种中式沙拉的味道哦！

▌ 主　料 ▐

茄子350克，圆白菜丝50克。

▌ 调辅料 ▐

菜籽油、淀粉各适量，泡海椒25克，泡姜15克，大蒜15克，白糖30克，醋25克，水淀粉15克，葱花5克。

制作过程

1 选好紫茄子。

2 主要调料为泡海椒、泡姜、大蒜、白糖、葱花、醋。

3 滚刀去皮后的茄子切成规则的长条。

4 茄条用淀粉挂粉。

5 每一根茄条都要用淀粉完全包裹。

6 锅内菜籽油烧至六成热时，一根根下入茄子条。

7 中火慢炸。

8 炸至茄条表面变色。

9 圆白菜丝用于盘子垫底，将炸好的茄条快速码好。

10 锅内加少许菜籽油烧至五成热，先加入泡辣椒炒香出色。

11 再加入蒜瓣和泡姜粒继续炒，炒香后适当加水烧开。

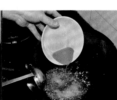

157

12 加入白糖。

13 以水淀粉加醋勾芡。

14 加入葱花起锅，浇汁上菜。

变变变
怪味茄子
麻辣茄子
鱼香土豆
鱼香茄饼
鱼香菠菜

| 小秘密 |

1 不要买又光滑又硬的茄子，那种茄子太老了。

2 因泡椒、泡姜都有咸味，所以此菜不必加盐。

鱼香油菜薹

　　每年的11月，四川的红油菜薹就上市了。这道素菜最普遍的做法有两种，第一是炝炒以蘸醋，第二种就是这款鱼香做法。第一种炝炒的做法相对简单，所以成为很多四川家庭冬季餐桌的常备菜。鱼香的做法由于很多人潜意识中觉得很复杂，所以一般只有在餐馆才点这道菜。其实鱼香味作为川菜的传统经典味型，只要你准备好了所需的调料和原材料，并按照一定的调味比例和先后顺序操作，那么在家一样能做出和餐厅大厨同样级别的鱼香味菜式。

| 主　料 |

红油菜薹500克。

| 调辅料 |

菜籽油适量，家常剁椒豆瓣酱15克，泡辣椒10克，泡姜15克，蒜粒15克，盐2克，白糖30克，醋30克，水淀粉20克，葱花5克。

制作
过程

1 红油菜薹洗净，去
除老叶和表皮筋膜。

2 红油菜秆切滚刀块。

3 锅内菜籽油烧至六
成热，加入家常剁椒
豆瓣酱，炒香出色。

4 加入剁好的泡姜、泡
辣椒、蒜粒，炒香。

5 下油菜薹，加盐。

6 快速煸炒，稍加
水，加盖焖烧几
分钟。

7 加入白糖。

8 加入醋。

9 以水淀粉勾芡。

10 最后加入葱花，
炒匀起锅。

159

变 变 变

炝炒红油菜
清炒红油菜
蒜香红油菜
油焖红油菜
白水红油菜

▎小秘密 ▎
1 勾芡的水淀粉不可过浓。
2 新鲜的红油菜是越粗越嫩。
3 爱美的女士粗加工红油菜时最好戴手套，因为红油菜会将你的手指
染红。

葱油蘑菇

每次去菜市场看见鲜嫩的蘑菇我就会想起那首家喻户晓的老歌——《采蘑菇的小姑娘》。

今天我特意为喜欢吃素的朋友奉上这道全素菜，我们大家都来吃点素菜清理一下肠胃吧！

▎主　料▎
鲜蘑菇250克。

▎调辅料▎
盐10克，葱花5克。

变变变
葱油香菇
葱油金针菇
葱油茶树菇
蒜香蘑菇
麻油蘑菇

▎小秘密▎
1 在煮蘑菇的水里加盐，更便于蘑菇入味。
2 切蘑菇时不要切断，顶部需要预留，这样蘑菇才能成扇形。

制作过程

1 洗净的蘑菇加盐煮　2 煮好的蘑菇晾凉，
至熟透。　　　　　　　就可以切片了。

3 切好后的蘑菇轻　4 切好的蘑菇摆盘。
压，即成扇形。

5 小葱切成葱花装　6 将葱油淋在蘑菇
碗，浇上六成热的色　上，就大功告成了。
拉油烫成葱油。

凉拌折耳根

这种食材的名字还真是多：折耳根、鱼腥草、猪鼻拱、猪屁股、截耳根、蕺菜等。可别小看这道小菜，火哥只要一上火，吃这个那是相当见效，当然也有人不习惯这菜特有的味道。吃不惯的人说是腥味，吃得惯的又觉得是香味。但我想，这个比熬的中药好吃多了吧！药补不如食补，其实很多身体的毛病是可以在餐桌上解决的！

变变变

蒜香折耳根
老醋折耳根
泡椒折耳根
青笋拌折耳根
胡豆拌折耳根

| 小秘密 |

折耳根洗净后用手掐断成需要的长度，即可。

| 主 料 |

折耳根150克，红萝卜50克。

| 调辅料 |

盐5克，白糖10克，醋15克，味精2克，辣椒油20克，花椒粉少许。

享受过程

1 折耳根和红萝卜。　2 红萝卜切二粗丝。

3 加入盐、白糖、醋、味精。　4 加入辣椒油和花椒粉，拌匀即可。

变变
双味三丝
双味耳丝
双味肚丝
双味荞面
双味凉粉

双味蒜薹拌木耳

春天的周末，火哥全家驱车去彭州郊游，那真是犹如画中行！油菜花、梨花、李花、桃花、玉兰花和各种不知名的小花装点下的公路让行车变得不再枯燥。车行至蒙阳（成都最大的农产品批发交易市场所在地），眼见满脸洋溢着幸福的农民用各种运输工具将新鲜蒜薹（那几天正是四川本地蒜薹大量上市的日子）或各种蔬菜源源不断拉到这里，空气中弥漫着浓郁的蒜香味。不过，火哥还嫌这蒜薹还不够新鲜，于是选了一块正在收割蒜薹的菜地，亲自看着一位农民大姐帮我弄了一大捆蒜薹，那感觉真是：新鲜看得见、口水一长串啊！

162

┃主 料┃
新鲜蒜薹300克，水发木耳50克。

┃调辅料┃
糊辣豆豉味：糊辣剁椒15克，香辣豆豉15克，味精1克。
酸甜味：醋10克，白糖15克，芝麻油10克，盐2克。

制作过程

1 蒜薹去掉花苞部分，开水下锅氽透。

2 从锅中捞出冲凉水，让其快速冷却。

3 冲凉的蒜薹从中间撕开。

4 蒜薹丝装盘，加入水发木耳。

5 一半浇上糊辣豆豉味调料。

6 一半浇上甜酸味调料即可。

┃小秘密┃
1 水发木耳需洗净并沥干水分。
2 蒜薹氽烫时间不能过久，否则影响口感。

麻辣烟笋

俗话说，四川四川四面是山，飞机飞不过大炮打不穿。四周由大山环抱的四川盆地及丘陵地带给竹子这种高大、生长迅速的植物创造了良好的生长环境。人迹罕至的山中，云雾环绕下竹林的竹笋是上帝赐予人类的绝佳美食，但这种高蛋白质的美食有一缺点，那就是不耐保存和运输。四川的先民们为解决这一难题而创造性的就地用烘烤的方式让竹笋快速脱水，几经辗转这小小的烟笋来到了喧闹的都市，变身为餐桌上那风味独特的各式烟笋菜肴。

I 主 料 I

烟笋干100克。

I 调辅料 I

酱油5克，盐5克，花椒粉0.5克，白糖2克，辣椒油50克，鲜汤适量，味精2克，小葱末10克。

制作过程

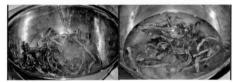

1 烟笋干先用开水直接浸泡1小时左右，开水可以多放些。

2 泡软后换水，大火煮开后关火至自然冷却，这样反复三次笋子就泡好了，时间约五六个小时。

3 泡好的笋凉拌前，需要用手撕开。

4 加入调味料拌匀即可。

163

变变变
酸辣烟笋
糊辣烟笋
麻油烟笋
米椒烟笋
泡椒烟笋

I 小秘密 I

1 烟笋是新鲜竹笋为了便于长期保存而用炭火烤干的。
2 烟笋很干，制作之前必须先涨发。好的烟笋可以涨发到原重量的6倍以上。

金沙玉米

这道金沙玉米可是我家孩子们最喜欢的菜肴之一，其他菜孩子们可以不吃但这道菜肯定是要一扫光的，你一勺我一勺根本不需要大人劝，欢笑中就已经光盘了！

| 主 料 |
罐装玉米粒1罐，咸蛋黄4个。

| 调辅料 |
淀粉适量。

| 小秘密 |
1 建议最好用罐头玉米粒制作这道菜，如果用新鲜玉米粒必须煮熟。
2 裹干粉时，一定要多加干淀粉，彻底将玉米粒表面裹满。
3 油炸时火要大，油要多，油温一定要保持。
4 蛋黄下锅后快速炒散。
5 炒好的玉米粒起锅时会有很多蛋泡，这是正常的，过一会儿就会消失。

制作过程

1 煮熟的咸蛋黄在菜板上用刀口碾细。

2 罐装甜玉米粒沥干水分。

3 将适量淀粉与玉米粒拌匀。

4 用漏勺筛出多余的淀粉，将裹满淀粉的玉米粒下入六成热的油锅中。

5 用勺子轻推以免玉米粒粘连，保持油温油炸几分钟后玉米粒就浮面并酥脆了。

6 玉米粒表面稍微泛黄就可以从油锅中捞出。

7 锅内留少许油五成热，下入碾细的咸蛋黄。

8 用锅铲快速翻炒均匀，这时蛋黄会吐泡。

9 蛋黄完全炒散后下入炸好的玉米粒。

10 快速翻炒均匀就可以起锅了。

变变变

金沙土豆
金沙豌豆
金沙胡豆瓣
金沙山药
金沙芋头

酸菜炒豆干
酸菜炒土豆
泡萝卜炒魔芋
酸菜炒粉皮
泡姜炒魔芋

酸菜炒魔芋

　　话说这几天成都天气渐热，街上陆陆续续出现了很多穿夏装的男男女女，当然是女的更多，据说美女都不怕冷啊！看来，过不了多久火哥这身藏了一个冬天的嘎嘎终于也要露出来透透风了。俗话说，临阵磨枪不快也光，我这几天也准备多吃点素，特别是要吃魔芋这类传说中减肥"快、准、狠"的魔力食品，迎接那即将到来的夏天。

| 主　料 |

魔芋500克，四川泡青菜100克。

| 调辅料 |

菜籽油少许，盐3克，干辣椒3克，花椒少许，青蒜30克，味精2克。

> **| 小秘密 |**
> 魔芋条加盐下锅，煮透可以去除魔芋的生涩味和碱水味。

制作过程

1 魔芋、四川泡青菜、青蒜。　　2 魔芋切长条，冷水下锅加盐煮透，捞出。

3 锅内下菜籽油烧至五成热，加入干辣椒节和花椒炝锅。　　4 再加入切细的四川泡青菜炒出香味。

5 下入魔芋条继续翻炒至入味。　　6 最后加入蒜苗炒至断生，放味精即可起锅。